afgeschreven

DE KOE DIE DE WAAL OVER ZWOM

WILLEM CLAASSEN

Inhoud

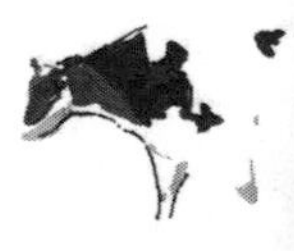

Kuil

De kuil is geen kuil, eerder een berg. Ik heb eens aan mijn vader gevraagd hoe dat zat, maar het was niet aan hem besteed: 'Een kuil is een kuil.'

Ik was er graag bij als mijn vader voer uithaalde. Vooraf stond hij op de kuil om het landbouwplastic een stuk naar achteren te schuiven, zodat een deel van de kuil werd blootgelegd. Vervolgens koppelde hij de kuilsnijder achter de tractor. Ik zat naast mijn vader in de cabine, op het bankje bij het raam, en keek naar de damp die van het warme kuilvoer af kwam. Ik hield me goed vast terwijl mijn vader gas gaf en met de machine hard achteruit op de kuil inreed. De kuilsnijder had onderaan een vork en bovenaan tanden, waarmee in de kuil werd gebeten. De tanden bewogen als een zaag heen en weer en baanden zich een weg

naar beneden, langzaam maar zorgvuldig. Er ontstond een strak gesneden grasblok dat op de vork naar de koeien werd gebracht.

Als we stamppot aten, deed ik het voer uithalen na. Ik schoof een vork over het bord naar het eten, terwijl ik het geluid van een tractor op dreef nabootste. De tanden van de kuilsnijder moest ik erbij fantaseren. Langzaam tilde ik de vork met het eten omhoog en bracht hem naar mijn mond. Dan schoof ik de vork opnieuw over het bord, voor een volgend blok kuilvoer.

Op een avond begon mijn broer mee te doen. Ik had het niet meteen in de gaten. Ik hoorde een raar geluid en keek om me heen. Zijn tractor klonk net iets anders. Al snel volgden mijn twee zussen zijn voorbeeld, toen mijn moeder en ten slotte deed ook mijn vader mee. Brommend zaten we aan tafel, vorken in de stamppot te schuiven.

Melken

'HET MELKEN IS pas klaar als het al een tijdje donker is,' zei mijn twee jaar oudere zus in het tanklokaal. Ze wees naar het raam waar op dat moment het daglicht nog doorheen kwam. Ik was onder de indruk. Zelfs als je vader niet van huis hoeft om de kost te verdienen, ontgaat je veel. Het was de eerste keer dat ik meehielp met melken. Tot dan had ik alleen de koeien van de wei naar de stal gejaagd. Daarna mocht ik naar binnen, naar de tv.

Er was veel te doen. We gaven de kalfjes melk, veegden het kuilgras op de voergang aan en hingen net uitgewassen uierdoeken aan de waslijn in het tanklokaal, want daar was het warm. Tussendoor gingen we de melkstal in, het trapje af, en stonden we in de put tussen de koeien waar het echte werk plaatsvond.

Telkens weer keek ik door de smalle opening in de muur. Daarachter stonden de koeien die nog gemolken moesten worden. De eerste paar keer dat ik keek, leek de koeienmeute steeds even groot. Maar op een gegeven moment merkte ik tot mijn opluchting dat de groep kleiner werd.

'Nog een half uurtje,' zei mijn vader.

'En dan alles schoonmaken,' zei mijn zus, 'dat duurt ook wel even.'

Met z'n tweeën gingen we weer naar het tanklokaal.

'Zie je?' zei mijn zus.

Ik keek uit het raam. Het was donker buiten. Dat dit altijd zo lang duurde en dat mijn vader dit al jaren achtereen deed – iedere ochtend, iedere avond – al voordat ik bestond, daar kon ik met mijn hoofd niet bij.

Kaas

VOORDAT DE MELK naar de grote tank werd geleid, kwam hij in een glazen bol terecht. Op die bol stonden zwarte streepjes. Zo was te zien hoeveel liter een koe gaf. De melk stroomde binnen, de bol raakte langzaam vol en het glas werd warm. Ik legde er vaak mijn handen op. Soms duwde ik mijn wang ertegenaan.

Bosman stond in de deuropening. Hij krabde met zijn dikke vingers aan zijn arm. Hij was de enige die ik kende die nog op gele klompen liep.

Mijn vader knikte in zijn richting terwijl hij zonder te kijken de zuignappen aan de spenen van een koe hing.

'Je hebt weer een mooie!' riep Bosman boven de melkmachine uit.

Hij schreeuwde hard. Het was altijd hard, ook als de machine niet aan stond. En hij riep steeds hetzelfde.

Toen we klaar waren met melken vulde Bosman

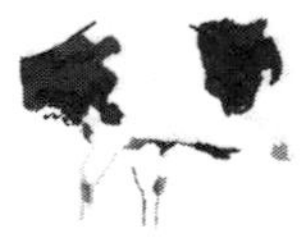

samen met mijn vader wat papieren in en laadde het stier-kalf in zijn veewagen.

Om de zoveel tijd kwam er een Turk op de boerderij. Hij wilde melk rechtstreeks van de koe. Niet via de tank, maar via de glazen bol. Daarvoor moest mijn vader een slang ontkoppelen en er een emmer onder zetten.

Dengiz heette hij, maar mijn vader noemde hem Dinges. Hij kwam samen met zijn vrouw in een oude grijze auto. Hij had eigen emmers bij zich, groter dan de onze.

'Help ze maar even,' zei mijn vader.

Ik liep naar het tanklokaal. Dengiz was bezig de emmers naast elkaar op de grond te zetten en te tellen. Zijn vrouw legde katoenen doeken in de emmers. Dat deed ze op een speciale manier die ik niet helemaal kon volgen. Haar handen verdwenen telkens even in een doek. Het waren kleine mensen, kleiner dan ik, en ze waren op leeftijd.

Een voor een nam Dengiz de emmers de melkstal in. Met volle emmers kwam hij terug. Ik hielp hem mee dek-sels op de emmers te doen en ze in de kofferbak te zetten. Het tillen was best zwaar, ik kon het maar net houden.

De kofferbak stonk.

Nadat de laatste emmer in de auto was gezet, haalde ik mijn vader uit de stal. Dengiz pakte zijn portemonnee uit zijn broekzak en telde de briefjes. Zo ging dat elke keer. Hij kwam een paar avonden achter elkaar en dan weer een hele tijd niet.

Op een avond had mijn vader gevraagd waar hij al die melk voor nodig had. Dengiz sprak gebrekkig Nederlands. Het duurde even voor mijn vader het begreep. Er werd kaas van gemaakt. Tijdens het eten werd erover gesproken. Mijn moeder dacht dat het iets te maken had met de ramadan, maar ze wist niet hoe vaak dat per jaar werd gehouden.

Bosman stond steeds vaker in de deuropening. Het waren goede tijden. Mijn vader durfde de handelaar zelfs in de maling te nemen.

'Sorry, ik verstond je niet,' zei hij als Bosman weer stond te schreeuwen. Bosman had het niet in de gaten.

Dengiz belde altijd 's middags op met de vraag of hij 's avonds kon komen.

'Dinges komt vanavond,' zei mijn vader dan, nadat hij de hoorn had neergelegd.

Ik keek samen met Dengiz naar de melk die via de slang onder de glazen bol in de emmer stroomde. Het bleef maar komen. Dengiz was niet erg spraakzaam en keek vaak ernstig. Als ik naast hem stond bij de glazen bol of hem meehielp de emmers in de auto te tillen, glimlachte ik weleens naar hem. Soms werkte dat. Dan gingen zijn mondhoeken even omhoog.

Een keer begon Dengiz bij het betalen tegen mijn vader te praten. Hij vertelde dat zijn familie in Turkije heel veel kaas maakte. Dat moest hij twee keer herhalen. Toen knikte mijn vader. Dengiz lachte.

Op een avond stond Bosman in de deuropening van de stal toen Dengiz naar binnen wilde. Dengiz tikte op zijn schouder. Verbaasd stapte Bosman opzij.

'Waarom die mensen?' schreeuwde Bosman, toen Dengiz weer weg was.

'Waarom niet? Hij betaalt goed,' zei mijn vader. 'En zijn familie heeft een grote kaasfabriek in Turkije. Misschien willen ze ooit nog eens melk van mij.'

Mijn vader grijnsde.

'Ja ja,' riep Bosman.

'Ik heb geen last van ze,' zei mijn vader.

Toen Dengiz ruim een jaar met tussenpozen melk bij ons haalde, kregen we een stuk kaas van zijn vrouw. Het kwam onverwacht. De volle emmers stonden in de kofferbak en ik had mijn vader gehaald voor het betalen. Dengiz gebaarde naar zijn vrouw. Ze zei niets. Ze knikte alleen maar en overhandigde de in plastic gehulde kaas aan mijn vader.

'Dank u wel,' zei mijn vader, overdreven articulerend.

De volgende ochtend sneed mijn moeder er een stuk af en nam voorzichtig een hap.

'Het smaakt nergens naar.'

Ook wij namen een hap van de Turkse kaas.

'Nee inderdaad,' zei mijn vader. 'Dan heeft-ie zoveel melk van me nodig en dan maakt-ie er dit van.'

Hij legde de kaas terug op zijn bord en schoof het van zich af.

's Avond was Dengiz er weer. Hij vroeg wat we van de kaas vonden.

'Het smaakte goed,' zei mijn vader. 'Het is heel anders dan onze kaas, maar wel lekker.'

Dengiz keek naar zijn vrouw. Ik verwachtte dat ze een nieuw stuk kaas aan zou bieden, maar dat deed ze niet.

De kaas die ze ons hadden gegeven bleef nog een tijdje in de koelkast staan, met het plastic eromheen.

'Hoe lang blijft dat eigenlijk goed?' vroeg mijn zus.

Mijn moeder haalde haar schouders op.

Uiteindelijk verdween de kaas. Niemand had het er nog over.

Op een middag liep Bosman onze keuken binnen. Zijn klompen bonkten op de tegelvloer. Mijn vader keek er niet vreemd van op.

'Komt die Turk nog steeds?' riep Bosman.

Zijn stem galmde door de keuken. Hij schreeuwde even hard als in de melkstal.

'Zo af en toe,' zei mijn vader.

'Ik weet het niet. Ik vind het toch raar.'

'Handel is handel.'

'Daar heb je gelijk in.'

Mijn moeder schonk koffie voor Bosman in. Ik staarde naar zijn dikke vingers. Hij begon over de kalveren.

'Je hebt weer een mooie!' riep hij naar mijn vader.

We gingen een weekend naar Center Parcs.

'Dankzij de kaas,' zei mijn moeder tijdens het avondeten.

'Nou, dat hoeven ze niet per se te weten,' reageerde mijn vader.

Mijn neef deed de boerderij. We zaten de hele zaterdag en zondag in het zwembad. Elke keer als het deuntje voor de golven klonk glibberden we zo snel mogelijk naar het grote bad.

Mijn vader zat niet rustig. Drie keer per dag belde hij naar mijn neef hoe het ging.

Vermoeid van het zwemmen keerden we huiswaarts.

'Dit moeten we vaker doen,' zei mijn zus toen ze haar koffer uit de auto pakte.

'We zien wel,' zei mijn vader.

Op een bepaald moment kwam Dengiz niet meer. Mijn vader begon erover aan tafel.

'Dinges is lang niet meer geweest,' zei hij.

'Maar dat gaat altijd zo. Dan komt-ie een hele tijd niet en dan is-ie er weer,' zei mijn moeder.

'Dit keer duurt het wel erg lang,' antwoordde mijn vader.

'Kunnen we dan nog wel naar Center Parcs?' vroeg mijn zus.

Dengiz bleef weg. Bosman had ook gemerkt dat hij niet meer kwam.

'Zou hij nu ergens anders melk halen?' schreeuwde hij vanuit de deuropening van de stal.

Ik keek naar een glazen bol die bijna vol was. Het was mijn taak om het kraantje onder de bol te openen zodra er geen melk meer bij kon.

'Geen idee,' zei mijn vader.

'Het is maar beter zo,' riep Bosman. 'Je weet het nooit met die mensen.'

De papieren werden ingevuld. Bosman dronk nog een kop koffie en laadde weer een kalf in zijn wagen.

Tussen de middag

In groep zeven en acht ging ik tussen de middag naar oma die vlak bij school woonde. Ik kon iets minder dan een uur bij haar blijven, dan moest ik weer terug. Oma gaf me een stroopwafel en maakte soep voor me klaar. Zelf at ze niets. Ze keek naar me terwijl ik de soep naar binnen werkte.

'En hoe gaat het met de koeien?' vroeg ze.

'Goed. Denk ik.'

'Je wordt later zeker ook boer.'

'Misschien.'

'Of wil je iets anders gaan doen?'

'Burgemeester.'

'Da's een goeie.'

Ik wist niet of ze het een goeie grap vond of dat ze echt dacht dat het een goed plan was. Ze ging er verder niet op in, maar later vroeg mijn moeder of ik werkelijk burgemeester wilde worden. Ze had met oma gesproken.

'Ik wil burgemeester van Beuningen worden.'

In die tijd schreef ik brieven aan de toenmalige burgemeester van Beuningen. Ik kreeg altijd antwoord, waarbij vooral het gemeentelogo bovenaan de brief me fascineerde.

Het huis van oma was donker. De klok tikte hard. Vaak piepte de theekan. Oma keek op de voorpagina van de krant om te zien welke dag het was, want dat vergat ze steeds. Ze schreef in haar dagboek wat ze had gedaan. Het was allemaal heel beknopt. Soms vroeg ze of ik het aan haar voor wilde lezen, dan hoefde ze haar leesbril niet te zoeken. Tijdens het voorlezen knikte ze instemmend.

Heel af en toe maakten we een wandeling door het dorp.

'Later is dit allemaal van mij,' zei ik terwijl we over het Julianaplein liepen.

'Hoe bedoel je?'

'Als ik burgemeester van Beuningen ben.'

'Dat maak ik vast niet meer mee.'

'Natuurlijk wel.'

Aan het einde van groep acht schreef ik haar een nette brief waarin ik haar bedankte voor de soep en de stroopwafels. Bovenaan plakte ik een sticker, een soort logo. Het voelde alsof ik een hoofdstuk afsloot. Ik had zin in de nieuwe school in Nijmegen. Het zou een half uur fietsen zijn. Ik wist nog niet of er bekenden in mijn klas zouden zitten.

Eigenlijk wilde ik de brief op de post doen, maar ik was te laat en heb 'm haar toen maar gewoon gegeven. Dat was op de laatste dag. Ze had een grote reep chocola en een zak snoep voor me gekocht. Ze begon de brief meteen te lezen. Ik nam een hap van de chocola. Ineens huilde ze. Uit de mouw van haar jurk haalde ze een zakdoek en snoot haar neus. Ik wist niet wat ik moest doen.

'Oma?'

'Sorry,' zei ze. 'Sorry.'

Ze aaide over mijn hand.

'Ik kom nog weleens op bezoek hoor,' zei ik.

Ze lachte een beetje en depte haar ogen.

'Ik hoop het maar.'

Willem Claassen

Beuningen, 21 december 1990.

Dag Willem,

Alweer een brief van jou voor mij. Heel leuk van jou.
Je hebt er ook wat bij getekend over de omgeving van Beuningen.
Een soort aardrijkskundeles eigenlijk. Goed gedaan.
Verder vraag je mij, hoe je burgemeester kunt worden en wat je er

allemaal voor moet kennen en kunnen.
Heel belangrijk is in elk geval wel, dat je het zelf moet willen.

In je brief zeg je, dat jij ook wel burgemeester zou willen worden. Nou, dat is dan al een mooi begin. Maar........... je moet goed begrijpen dat heel veel mannen en vrouwen in Nederland, hetzelfde willen als jij.
In Nederland kunnen er van de 15.000.000 mensen er maar ongeveer 700 mensen burgemeester zijn van een gemeente. Dus lang niet iedereen die burgemeester wil worden, wordt dat ook echt.

Als je later bij een van die 700 wilt zijn, dan moet je zeker veel leren en ook wel een beetje nieuwsgierig zijn. Je moet heel goed weten wat mensen denken. Maar vooral goed weten, wat je zelf belangrijk vindt voor de mensen in de gemeente. Samen met de mensen in de gemeenteraad kun je dan allerlei goede dingen proberen te doen voor de inwoners van de gemeente.

Of je echt burgemeester wordt, hangt af van de Koningin, want die benoemt uiteindelijk iedere burgemeester in Nederland. En hoe dat precies gaat, mag je me later, als je groter bent, nog wel eens vragen.
Willem, goed leren en vooral goed rondkijken in de wereld. Wie weet, komt alles dan uit, zoals jij je dat nu voorstelt.

Ik wens jou en je familie fijne feestdagen en een gelukkig Nieuwjaar.

De burgemeester van Beuningen,

Mr. drs. H.N.A.J. Zijlmans

Nacht

MIDDEN IN DE nacht stond er een gestalte in mijn slaapkamer.

'Er moet er eentje kalven. Kun je even helpen?'

Ik kreunde en draaide me om, mijn gezicht naar de muur.

'Mama is ziek. Ik zie je zo.'

Ik deed alsof ik hem niet had gehoord en bleef liggen. Als hij er de volgende dag naar zou vragen, zou ik zeggen dat ik niet goed wakker was toen hij naast mijn bed stond. Ik sloot mijn ogen, maar viel niet in slaap. Ik stelde me voor hoe mijn vader in zijn eentje in de weer was in het afkalfhok. Ik kon het niet maken om te blijven liggen.

In de stal was het onrustig. Hier en daar loeide een koe. Een aantal koeien stond vlak achter het muurtje van het afkalfhok. Ze probeerden over het muurtje te kijken, maar dat lukte niet. De koe die moest kalven lag plat op haar zij. Twee pootjes staken uit haar lijf. Mijn vader had alles al klaar staan.

'Doe een overall aan,' zei hij.

'Nee.'

In mijn pyjama kroop ik onder het voerhek door het hok in. Mijn vader bond touwtjes aan de poten van het kalf. Aan de uiteindes van de touwtjes zaten houten blokjes, bedoeld als handvat. Ik hield het ene blokje vast, mijn vader het andere. De koe perste.

'Nu!' riep mijn vader.

We trokken. Ik gleed uit en viel met mijn pyjama in het vieze stro. Mijn vader keek niet om. Hij was alleen met het kalf bezig. Je kon de neus zien. De tong hing naar buiten, dat hoorde zo, al zag hij wel blauw. Bij de volgende wee trokken we een stuk harder. Het kalf was half uit de koe. Mijn vader zei dat we nu door moesten blijven trekken tot het dier er helemaal uit was. De koe kreunde. Toen het kalf op de vloer lag, stak mijn vader zijn hand in de bek om het slijm eruit te halen. Er zat nauwelijks beweging in.

'Verdomme!' riep mijn vader.

Snel greep hij het glibberige kalf vast en hing het over

het hek. De kop en de voorpoten bungelden aan de ene kant, de achterpoten aan de andere kant.

'Water! Schiet op!'

Ik pakte de emmer uit de hoek en gooide hem leeg over de kop van het kalf. Het dier bewoog, de poten spartelden. Nog even liet mijn vader het kalf ondersteboven hangen en legde het toen voor de koe neer.

'Een maaltje,' zei hij en zuchtte diep. Het zweet stond op zijn voorhoofd.

Ik zweeg. De koe likte de vacht van het kalf droog. De hond, die ongemerkt in het hok was gekropen, snuffelde aan de nageboorte en beet erin.

Even later was mijn vader weg. Waarschijnlijk moest hij iets pakken en zou hij elk moment terugkomen. Ik vreesde dat ik nog een klusje voor hem moest doen, ook al was het midden in de nacht. Haastig waste ik mijn handen in het tanklokaal en rende naar het woonhuis.

In het halletje botste ik tegen hem op. Hij had zijn overall nog aan en leek op weg te zijn naar buiten, naar de stal. Ik ging ervan uit dat ik met hem mee moest, maar dat vroeg hij niet. Hij wees alleen naar mijn pyjama.

'Die kun je wel weggooien.'

Blaarkop

Na het avondeten was het mijn taak om de koeien te halen, een fijn karweitje. Ik trok mijn laarzen aan en liep vanaf de melkstal dwars door de wei naar achteren, terwijl ik in mijn handen klapte.

'Kom maar, koetjes,' riep ik. 'Kom maar.'

Een aantal koeien begreep de boodschap meteen en bewoog uit zichzelf richting de stal. De koeien die helemaal achteraan bij de slootkant stonden en lagen, moest ik een voor een aantikken voor ze in actie kwamen. Daarna liep ik al klappend heen en weer door de wei. Meter voor meter schoven de dieren op. Als de kudde eenmaal op gang was, ging het voorspoedig.

Uitzondering was koe nummer 81. Een blaarkop. Rood lijf, witte kop en rood om de ogen. Je herkende haar meteen. Ze lag altijd achteraan bij de sloot, kwam moeizaam overeind en als ze eenmaal stond moest ik haar steeds op de flanken kloppen. Drie stappen en ze stond weer stil. Nummer 81 was mijn favoriet. Het hele stuk van de sloot naar de stal liep ik naast haar. Ik hoefde niet achterom te kijken om te zien of ik een koe vergat. Zij was de laatste, altijd. Ik leunde tegen haar aan, aaide over haar kop en zong de nieuwste hits uit de top 40 voor haar. Ze vond het allemaal prima. Als in de zomer haar rug door vliegen werd bevolkt, zwaaide ik er met mijn hand overheen, nog voordat zij met haar staart zwiepte. Heel soms besprak ik zaken met haar die zich op school afspeelden.

Ik was er niet bij toen mijn vader en broer haar de veewagen op joegen. Ze had die ochtend nog melk gegeven. Met een lege uier werd ze samen met een andere koe naar het slachthuis in Ewijk gebracht. 's Avonds bij het koeien halen merkte ik dat ze was verdwenen.

'Waar is 81?' vroeg ik in de melkstal aan mijn vader.

Met een uierdoek ging hij langs de spenen van een koe.

'Naar de slacht.'

'Waarom?'

'Ze gaf niet zoveel melk meer.'

'Alleen daarom?'

'Nu zit er nog goed vlees aan.'

'Maar ze is onze enige blaarkop.'

'Er komt wel weer een keer een nieuwe.'

Mijn vader liep langs me heen en gooide zijn doek op de stapel vuile doeken.

De koeien waren daarna sneller binnen, maar ik vond er niets meer aan. Ik miste nummer 81.

'S Nachts droomde ik over het koeien halen. Ik stond in de deuropening van de stal. Alle koeien waren binnen. Ik keek om en zag tot mijn schrik helemaal achter in de wei nummer 81 staan. Ze keek me aan en begon te loeien. Het ging door merg en been.

Grote Zaal

EINDELIJK STOND IK in de Grote Zaal. Hier had ik jaren op gewacht. Een cowboy drukte zijn klapperpistool tegen het hoofd van een ober, een pinguïn stond te schuimbekken, een prinses gilde toen er een hand in haar jurk verdween en mijn neef gooide met bier. Niemand keek op toen prins Harry de Tweede de microfoon greep en met zijn schorre stem iets probeerde te zeggen.

Ik had veel nieuwe indrukken te verwerken maar kon dat best aan, dacht ik. Ik was goed voorbereid. Mijn broer en mijn neef hadden me een spoedcursus Grote Zaal gegeven.

Eigenlijk hoorde ik nog thuis in de Kleine Zaal: kindercarnaval. Ik was veertien en illegaal de Grote Zaal van het Beuningse dorpshuis binnengeloodst. Verkleed als zwerver met een geschminkte stoppelbaard en een

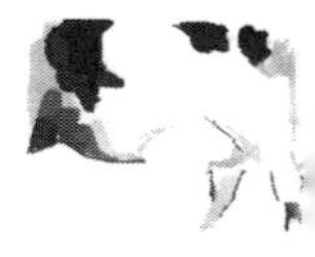

norse, volwassen blik was ik voorbij de Raad van Elf gekomen.

Dankzij de spoedcursus wist ik hoe de avond zou verlopen. Er zou een gesprek met een vreemde komen, tussen de polonaises door.

'Jij bent er een van Claassen, of niet?'

'Ja.'

'De hoeveelste?'

'De zoveelste.'

Voor 1 gulden 50 zou ik met het borrelbusje thuis worden afgezet. We zouden eieren bakken en nog wat zingen. Mijn moeder zou naar beneden komen om te vragen of het wat rustiger kon. Het was vooral zaak om alles binnen te houden.

Alles wat gebeurde die avond was te verwachten. Ik keek nergens van op. Totdat zij voor mijn neus stond. Een muis, twee koppen groter, ergens in de twintig. Ze keek me zo serieus aan dat ik niet kon vermoeden dat ze dronken was.

'Wil je verkering met mij?' vroeg ze. 'Op een oude fiets moet je het leren.'

Ik stond aan de grond genageld en zei niets terug. Ze kwam drie keer terug om die twee zinnen te herhalen, te wachten op een antwoord dat niet kwam en weer weg te lopen. Ik was veertien en een oude muis in de Grote Zaal sloeg alle zekerheden weg.

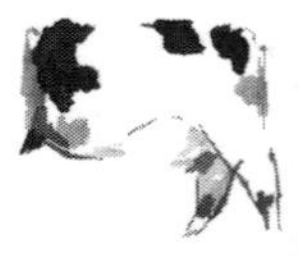

Gierput

TOEN MIJN ZUS en ik thuiskwamen van school lag onze hond onder een zwart zeil aan het begin van de oprit. We kregen haar niet te zien.

'Beter van niet,' zei mijn moeder.

Heel af en toe ging er een koe dood. Die werd dan onder een zwart zeil gelegd en opgehaald door een vrachtwagen met een grijparm. Nu zou onze hond opgepakt worden door die arm.

Mijn zus huilde. Ik zei dat de hond erg oud was. Ergens had ik er rekening mee gehouden dat ze binnenkort zou sterven. Ik had al min of meer afscheid genomen.

De hond was in de gierput gevallen. Haar lichaam was stijf en opgeblazen toen mijn vader haar eruit haalde. Meer wist mijn moeder er niet van en mijn vader was

gier aan het rijden op een weiland aan de andere kant van Beuningen.

Met mijn zus ging ik bij de gierput kijken.

'Wel voorzichtig doen,' zei mijn moeder.

De opening van de put bevond zich aan de achterkant van de stal. Normaal lagen er houten balken over het gat, maar die waren weggehaald vanwege het gierrijden. Daardoor had de hond erin kunnen vallen. Toch was het vreemd, want de put lag wel vaker open. De hond was veertien en zwierf al haar hele leven rond over het erf. Ze viel niet zomaar ergens in.

'Ze was behoorlijk doof, misschien zag ze ook slecht,' zei mijn zus.

'Maar ze kon het toch ruiken?' vroeg ik.

'Misschien is ze uitgegleden,' zei mijn moeder, die ineens achter ons stond.

Zo was het gegaan met een boer uit de buurt. Hij probeerde een schroevendraaier uit de put te halen, gleed uit, raakte bedwelmd en verdronk. Mijn vader werkte bij de vrijwillige brandweer en moest samen met een paar andere brandweermannen het lichaam eruit trekken.

Ik keek geconcentreerd in de put. In de mest zocht ik tevergeefs naar een afdruk van de hond.

Later op de dag stond ik in m'n eentje bij het zwarte zeil. In het midden zat een kleine bult, daar lag de hond. Mijn moeder hing uit het raam en riep dat ik het moest laten liggen. Ik stelde me voor hoe de hond eruit zag. Opgeblazen, stijf en besmeurd met koeienstront. Heel even raakte ik het zeil aan. Toen liep ik het erf op.

Menens

We probeerden een jonge koe in de veewagen te krijgen. Ik stond naast de laadklep en moest ervoor zorgen dat ze niet langs de wagen zou glippen. Mijn vader liep door de wei en joeg haar aan.

Bij de eerste pogingen gaf hij me nog aanwijzingen.

'Blijf rustig en hou altijd je armen gestrekt. Ook als ze nog niet in de buurt is.' En: 'Kijk naar de kop, want die wijst waar ze naartoe gaat. Laat haar rustig snuffelen. Kom niet te dichtbij. Dat schrikt af.'

Telkens wist de koe op het laatste moment, als ze al met een of twee poten op de laadklep stond, te ontsnappen. Dan draaide ze zich om en rende de wei in, langs mijn vader die haar met alle macht probeerde tegen te houden. Zonder succes. We begonnen opnieuw. De koe moest langzaam gaan begrijpen dat het menens was, dat ze er niet aan kon ontkomen.

Maar bij de vijfde poging hadden we haar nog steeds niet in de wagen. Er veranderde iets in mijn vader. De aanwijzingen bleven achterwege. Vermoeid liep hij door de wei. Aan zijn houding zag ik dat hij er niet echt meer in geloofde, maar hij sjokte voort. Ik stond nog altijd met mijn armen gestrekt en voelde ze zwaar worden. Mijn gedachten gingen naar een meisje van school. Ze zou me hier moeten zien staan, in mijn overall en met die gestrekte armen. Voor ik het wist stond de koe weer bij de laadklep, draaide zich om en ontweek mijn vader, die hulpeloos met zijn armen zwaaide. Dit keer begon hij te vloeken.

'We moeten het op een andere manier proberen,' zei ik.

Maar mijn vader schudde zijn hoofd. Weer liep hij achter de koe aan. En weer ging het mis. Dat was het moment waarop hij vertrok.

'Pa!' riep ik nog.

Zonder iets te zeggen, kroop hij onder het prikkeldraad door. Hij keek niet meer om.

Ik liet mijn armen zakken. De koe had gewonnen.

Uierdoeken

MIJN VADER DEED er zes koeien mee, gooide hem op de stapel vuile doeken en pakte een nieuwe. Volgens mijn broer was dat niet goed. Hij zat op de Hoge Agrarische School en daar werd verteld dat je met een uierdoek hooguit drie koeien kon doen. Mijn vader haalde zijn schouders op.

'Maar hoe meer koeien, hoe groter de kans dat je ziektes verspreidt,' zei mijn broer. 'Terwijl dat precies is wat je met die uierdoeken wilt voorkomen, toch?'

Ik volgde mijn broer en gooide mijn doek weg als ik er drie uiers mee had gepoetst. Mijn vader zag de doek op de stapel liggen.

'Deze kun je nog gebruiken,' zei hij, en zocht verder in de stapel naar doeken die er nog schoon genoeg uit zagen. 'En deze ook. En deze, en deze.'

Ze hielden beiden voet bij stuk. Mijn broer drie

koeien, mijn vader zes. Voor mijn moeder scheelde het nauwelijks. Vier dagen per week had ze een wasmachine vol met uierdoeken.

Totdat het biologisch afbreekbaar papier kwam. Een revolutie. Op aandringen van mijn broer schakelde mijn vader, na wat tegensputteren, over op papier. Dat deed hij zonder veel woorden. Hij zag ook wel dat dit beter was, voor koe en voor uier.

In het midden van de melkstal kwam een rol te hangen. Voor elke koe scheurde je één stuk papier af met dezelfde afmetingen als de oude uierdoek. Na het poetsen gooide je het papier tussen de koeien op de grond, het verdween dan later in de gierput via de gleuven van de roostervloer.

Toen de buurman in de deuropening van de melkstal stond en ernaar vroeg, zei mijn vader: 'Ik las erover in de vakbladen.'

Mijn broer zweeg. Hij wist dat hij beter niets kon zeggen.

Gras

OP EEN GURE lentedag reed ik over een fietspad en zag ik een sigaret liggen met een knik erin. Ik zette mijn fiets aan de kant, knielde voor de sigaret en pakte hem met beide handen op. Voorzichtig liet ik hem in de binnenzak van mijn jas glijden. Thuis legde ik de sigaret in een lege multomap in de onderste la van mijn bureau.

Twee maanden lang wachtte ik op het juiste moment. Op een zaterdag zat ik binnen de krant te lezen terwijl het buiten zonnig en warm was. Mijn vader kwam in zijn korte broek en op sokken de keuken binnen. Zijn laarzen had hij bij de achterdeur uitgeschopt.

'Ik ga naar Winssen. Dus je bent alleen, dan weet je dat.'

Even later reed de tractor langs het raam. Ik keek mijn vader na. Toen hij uit zicht was, pakte ik een doosje lucifers uit de keukenla. Op mijn slaapkamer haalde ik de sigaret met de knik tevoorschijn.

Ik liep het erf over naar een wei waar geen koeien stonden. Het was warmer dan ik had verwacht. In het midden van de wei ging ik in het gras zitten en keek schichtig om me heen. Met trillende handen probeerde ik de sigaret aan te steken. Dat was lastig. Niet alleen vanwege het trillen, maar ook omdat ik uit moest kijken dat de knik niet groter werd en de sigaret in tweeën zou breken. En vanwege de wind. Verschillende lucifers kon ik weggooien voordat de sigaret eindelijk brandde. Bijna vergat ik er aan te zuigen. Ik nam een trek, hoestte en nam weer een trek. Het had iets magisch. Ik hield de sigaret tussen wijs- en middelvinger en had het idee dat ik ter plekke in iemand anders veranderde.

Ik was zo met de sigaret bezig dat ik niet meteen in de gaten had dat iemand me riep. Toen het tot me doordrong verstijfde ik. Heel even keek ik op en zag bij het hek aan de straatkant een vrouw staan die naar me gebaarde. Snel drukte ik de sigaret uit en deed alsof ik haar niet had gezien. Maar de vrouw bleef roepen. Ik aarzelde, keek weer op en zwaaide kort naar haar. Het moest lijken alsof ik haar voor het eerst zag. Zo normaal mogelijk liep ik naar haar toe. Mijn ademhaling ging veel te snel en ik

voelde me een beetje duizelig.

'Weet jij misschien hoe ik in Beuningen kom?'

'Sorry?'

'Beuningen.'

Ik legde de weg naar de dorpskern uit. Ze bedankte me en stapte op haar fiets. Ik leunde nog een tijdje tegen het hek en kwam weer een beetje tot rust. Toen ik terugkeerde op de plek waar ik had gezeten, kon ik de sigaret niet vinden, alleen het doosje lucifers. Ik dacht aan de twee maanden dat de sigaret in mijn la had gelegen. Helemaal voor niets. Ik stak een lucifer aan en keek hoe hij langzaam opbrandde.

Na een poos ging ik liggen en luisterde naar de autoweg in de verte. De zon brandde op mijn gezicht. Ik deed mijn ogen dicht.

Iemand schopte tegen mijn been.

'Hoe lang lig jij hier al?'

Het was de stem van mijn broer.

Ik knipperde met mijn ogen en keek om me heen. Zwarte vlekken, het gras was wit. Mijn broer hing boven me.

'Kun je me even helpen?'

Ik zuchtte en stond op, wankelend als een pasgeboren kalf. Het gras werd langzaam groen. Toen dacht ik aan de sigaret met de knik. Ik hield een hand voor mijn mond om te controleren of mijn broer het zou kunnen ruiken.

Veestapel

Als we met de auto ergens naartoe gingen – nooit ver weg, want een boer houdt niet van ver weg – reden we vaak met een omweg terug. Mijn vader had vier of vijf weilanden die niet bij onze boerderij lagen.

'Even kijken hoe het er bij ligt,' zei hij dan.

Hij vroeg mij het jongvee te tellen. Een paar keer was dat leuk. Op een zondagmiddag, mijn vader had bijna ongemerkt een omweg gemaakt, bleef ik stoïcijns naar mijn stripboek kijken en noemde een willekeurig getal. Verschrikt draaide hij zich om. Ik lachte. Voortaan ging mijn vader alleen. Hij maakte speciale ritjes om naar zijn vaarzen te kijken.

Augustus

MA 7

IK LEGDE DE hoorn in bad en haalde hem er na een uur weer uit. Moest hem acht keer als een stuur in mijn handen ronddraaien voor al het water uit de buizen was. Er kwamen vreemde zwarte klodders mee. Geen idee hoe die daarin terecht zijn gekomen.

Mijn zus kwam in haar bikini de badkamer binnen, daar liep ze al de hele dag in rond.

'Is dat wel goed voor het koper?'

Ik liet haar het instructieformulier zien dat ik na de laatste repetitie had gekregen.

Pas toen ze het formulier teruggaf, zag ze de klodders in het water drijven.

'Gatver!' riep ze. 'Doe je er soms meer mee dan alleen toeteren?'

DI 8

Vanmiddag in de tuin achter de garage gelegen met een zak chips en een oude *Suske en Wiske*. Toen ik van de wc terugkwam zag ik pa lopen. Hij zocht mij of mijn broer. Ik verstopte me in de garage achter de vrieskist. Na een tijdje ging ik naast het raam staan en keek voorzichtig naar buiten. Mijn vader kwam langs, hij was in de tuin geweest en had de *Suske en Wiske* in zijn hand. Ik hurkte achter de vrieskist en wachtte een kwartier. Toen ik wegfietste, dook hij ineens op bij de straatkant.

'Waar ga jij naartoe?'

Hij hield twee weidepalen in zijn handen. Zweet stroomde over zijn gezicht.

'Moet even iets halen in het dorp.'

'O.'

Ik reed naar Mirthes huis. Zag een auto staan, maar volgens mij was er niemand thuis. Ik ging maar verder. Wilhelminalaan, Burgemeester Geradtslaan en langs de sportvelden weer terug. Kwam Thijs nog tegen. Hij droeg zijn Albert Heijn-uniform. Ik lachte hem uit.

Volgens de krant is er morgen officieel sprake van een hittegolf.

WO 9
Hittegolf.

Met Patrick, die sinds kort bij ons stage loopt, de regenbuizen verlegd. Hij stak steeds een nieuwe sigaret op en liet mij al het werk doen. Toch mag ik hem.

's Middags mijn zwembroek aangetrokken en met Pieter en Thijs naar De Groene Heuvels geweest. Hoopte Mirthe tegen te komen. Onderweg en bij het water keek ik steeds om me heen, uitkijkend naar meisjes met lang, donker haar. Thijs, die op zijn rug op een handdoek lag, had het in de gaten.

'Zijn wij niet genoeg voor het boertje?' vroeg hij terwijl hij zijn zonnebril liet zakken.

'Tuurlijk niet,' zei ik lachend.

Pieter jammerde de hele tijd dat we een bal mee hadden moeten nemen.

DO 10
Vertelde ma dat ik wilde stoppen met de fanfare. Dat had ze niet aan zien komen.

'Ik dacht dat je het naar je zin had.'

'Nee,' zei ik, maar op het moment dat ik dat zei begon ik weer te twijfelen.

Ma was zichtbaar teleurgesteld.

'Misschien moet je de eerste repetities even aanzien. Wanneer begint het weer?'

'Ergens eind van de maand.'

VR 11

Na het eten meegeholpen met inkuilen. Pa was zenuwachtig. Er scheen regen te komen en hij wilde koste wat kost de kuil dicht hebben voor het los zou barsten.

'Ga maar naar binnen,' zei ma om elf uur.

Ik blij, want ik was kapot en het afdekken van de kuil is een klotegedoe. Maar nu is het na enen en de opraapwagens blijven af en aan rijden. In volle snelheid denderen ze langs mijn kamer. Van slapen komt niets. En het is gaan onweren. Voel me schuldig tegenover pa.

ZA 12

Serenade gespeeld bij oude mensen thuis. Veertig of vijftig jaar getrouwd. Nog best wat man op de been ondanks de vakantie. Mijn uniform prikte van de hitte, ik dacht dat ik niet goed werd. Naderhand kregen we een consumptie bij De Vrijboom. Was best gezellig.

ZO 13
Met de hele club op De Groene Heuvels geweest. Aangenamer weer dan de afgelopen dagen, maar nu wou niemand het water in. Aanstellers.

Mirthe was er ook bij. Toen we gingen voetballen, zorgde ik ervoor dat ik bij de andere partij zat. Ik bleef steeds in haar buurt alsof ze mijn directe tegenspeelster was.

'Ga je nog op vakantie?' vroeg ik.

'Ben al geweest. Italië. Jij?'

'Nee, dit jaar niet.'

'Ga je niet met je ouders?'

'We gaan een keer per jaar een weekendje naar Center Parcs. Meestal in oktober.'

'Jullie hebben een boerderij, toch?'

'Ja.'

'Mag ik die een keer zien?'

'Er valt niet zoveel te zien.'

'Ik ben gewoon benieuwd.'

'Het is best saai.'

'Word je weleens gepest omdat je vader boer is?'

'Niet echt.'

'Ze maken er wel grappen over.'

'Vind ik niet erg.'

'Echt niet?'
Ik lachte.
'Nee, echt niet.'

MA 14

Patrick was er niet. Hij had zich niet ziek gemeld. Samen met mijn broer en zus de regenbuizen verlegd. Elke keer als ik een buis ontkoppelde en hem schuin hield om het water eruit te laten lopen, ging ik met mijn handen door het stromende water. Toen de buizen op de nieuwe plek lagen, dertig meter verder, zette mijn broer de installatie aan. Mijn zus en ik bleven staan en lieten ons nat sproeien.

Henry nog gesproken in het dorp. Hij twijfelt ook of hij door moet gaan met de fanfare. Misschien gaat hij op voetbal. Dat lijkt me nou helemaal niks.

DI 15

Tijdens het middageten gaf ik ma een briefje met mijn uren van de afgelopen dagen. Ze liet het briefje aan pa zien. Hij pakte zijn portemonnee en begon alweer over een bijbaantje. Dit keer stelde hij voor dat ik appels zou gaan plukken bij Scholten.

'Ik heb hier genoeg aan,' zei ik.
'Maar je zit de helft van de tijd te niksen.'

WO 16

Patrick was er weer. Met zijn motor scheurde hij het erf op en remde vlak voor de tractor die naast de stal stond. Toen hij zijn helm afdeed zag ik het oorbelletje in zijn linkeroor.

Samen verplaatsten we het jongvee naar een andere wei. Ik vroeg of hij boer wilde worden.

'Nee,' zei hij. 'Automonteur.'

Hij vertelde dat hij een hekel had aan de zomerstage en dat hij mijn vader maar een moeilijke man vond. Hij vroeg of ik een vriendin had. Nee dus. Toen vroeg hij op wie ik een oogje had. Ik stelde hem dezelfde vraag, maar daar wilde hij niets van weten. Hij wilde een naam horen. Hij bleef erover doorgaan. Ik kwam er niet onderuit.

'Mirthe,' zei ik.

Ik heb het gezegd. En nu staat het ook hier, zwart op wit. Mirthe.

DO 17

Met Pieter en Iris in het speeltuintje gehangen. Had verwacht dat er meer mensen zouden zijn, misschien wel Mirthe. Pieter en Iris zaten de hele tijd aan elkaar. Ik kon dat best lang negeren, maar ben toch vroeg naar huis gegaan. Op de wc mezelf afgetrokken.

VR 18

De hoorn al de hele week niet aangeraakt. Nu dan wel, maar na tien minuten weer gestopt. Vind er echt niks aan.

ZA 19

Op De Groene Heuvels met Mirthe gesproken. Ze vroeg opnieuw of ze de boerderij mocht zien. Dat moet een teken zijn. Ik stelde voor om een keer een wandeling te maken. Lijkt me wel romantisch, al heb ik dat natuurlijk niet tegen haar gezegd. Ze vond het goed.

's Avonds zat ik bij Thijs in de tuin. De vuurkorf brandde en ik kon alleen maar aan Mirthe denken.

Ma was boos toen ik thuiskwam. Ze kwam net uit bed. Haar haren stonden alle kanten op.

'Je had moeten bellen waar je was,' mopperde ze.

ZO 20

Mijn broer geholpen met melken, want pa en ma waren naar een of ander feest. Mijn neef kwam ook nog even.

Tussen de koeien bedacht ik: dit is de zomer waarin alles verandert.

En nu kan ik niet slapen. Het is de hitte. Ben door

het huis gaan struinen en bleek niet de enige. Mijn zus zat beneden voor de tv, die uitstond. Ze had alle stekkers eruit getrokken, want ze was bang dat het zou gaan onweren.

MA 21

Mijn gehandicapte zus kwam terug van vakantie. Ze was erg blij ons te zien en ze had veel te vertellen. Ik deed mijn best te luisteren en af en toe een vraag te stellen, maar al snel had ik er genoeg van.

Pa noemde Patrick tijdens het eten een rotjong.

'Maar wat doet hij verkeerd dan?' vroeg ik.

'Alles. Gewoon alles.'

's Avonds dacht ik aan de repetitie waar ik nu vakantie van had en dat dit dan de avond zou zijn waarop ik andere dingen kon gaan doen. Op zolder zocht ik naar oude strips. De meeste kende ik al. Maar ik vond ook een raar boekje, waarin ik een tekening van een blote vrouw ontdekte. Ik heb dat boekje tussen de broeken in mijn kledingkast gelegd.

DI 22

Ik ging in de tuin staan en blies hard op de hoorn. De koeien sloegen op hol. Geweldig gezicht. Die beesten

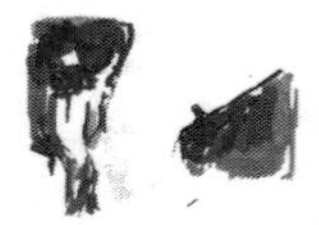

wisten niet wat ze overkwam. Mijn zus moest er hard om lachen. Ik bleef blazen. Hard en vals. Da's het enige wat nog een beetje leuk is aan die hoorn. Pa was woest. Op zijn laarzen kwam hij aangerend.

'Stop daarmee!' schreeuwde hij.

Hij hijgde van de inspanning.

'Ga naar binnen of kom helpen.'

's Middags naar school gefietst en boeken opgehaald.

Heb mijn zus over Mirthe verteld.

WO 23

Brief geschreven aan het bestuur van de fanfare. *Via deze weg zeg ik mijn lidmaatschap op.* Nu nog het adres opzoeken, en dan een envelop en een postzegel.

In het dorp gel en een zak snoep gekocht. Toen met Thijs en Pieter naar De Groene Heuvels gegaan. Het was opvallend rustig. Geen Mirthe. Later stond ik met mijn fiets voor haar huis. Er zaten mensen aan de andere kant in de tuin, maar ik kon niet zien of zij erbij zat. Morgen is het zover.

DO 24

We liepen over de dijk. Ze vertelde over haar paard en over haar vriendinnen. Ik zocht naar het juiste moment om haar hand vast te pakken. We kochten een ijsje. Ze begon weer over de boerderij. Ze verwachtte dat we er elk moment langs zouden komen, maar we liepen de andere kant op. Ik keek naar haar hand. Uit niets bleek dat ze hand in hand wilde, maar ook niet dat ze het niet wilde. De volgende keer zou ik de boerderij laten zien, beloofde ik haar. We keerden terug. Ik dacht alleen maar aan het afscheid. En toen stonden we daar bij de Waardhuizenstraat. Ze gaf me een knuffel, een zoen op de wang en stapte op de fiets. De hele avond heb ik die wandeling overgedaan. Opnieuw en opnieuw. Het gaf me een dubbel gevoel.

VR 25

Met twee tractors met daarachter platte wagens reden we dwars door de stad. We gingen hooien in de Ooijpolder. Patrick kwam weer niet opdagen, voor de derde dag op rij. Pa maakte een wegwerpgebaar toen het ter sprake kwam. Mijn broer had een paar vrienden opgetrommeld. Met twee van hen zat ik op een wagen. Pa was er niet blij mee, want ik kon er zo van af vallen, er was niets om me aan vast te houden. Ik vond het wel gaaf. We zaten daar in onze blote basten en iedereen keek naar ons. Bij een stoplicht sprak mijn neef een blond meisje aan.

‘Waar ga je naartoe?’
‘Naar de universiteit.’
‘Je kunt ook met ons mee.’
Ze zei niets.
‘Heb je verkering?’
Geen reactie.
‘Ga met ons mee. Gooi die fiets maar op de wagen. Je krijgt er echt geen spijt van, dat beloof ik.’
Het werd groen en het meisje fietste verder zonder naar ons om te kijken.
We lachten.
Het hooien duurde lang. Ik zat achter het stuur en hoefde nauwlijks iets te doen. Heel langzaam ging de tractor vooruit. Pa stond op de wagen om de balen goed te leggen. Mijn broer en zijn vrienden gooiden ze er met de hooivorken op. De flessen limonade die ma had meegegeven waren warm geworden. We dronken het toch maar op, want we waren dorstig en we hadden niets anders.
Op de terugweg reden we met de wagens vol hooibalen over de Waalkade. Twee vrienden van mijn broer zaten bovenop de balen. Ik mocht niet van pa. Ik zat in de cabine, op het bankje bij het raam, en keek steeds naar achteren, naar de wagen.

ZA 26

Mirthe liep van de kalfjes naar de koeien naar de katten naar de hond. Ik vertelde dat Polly in het voorjaar een nestje had gehad, zes puppies. Dat vond ze geweldig om te horen. Ze vroeg van alles over de boerderij, hoe de dingen in z'n werk gingen. Ik wist het steeds maar half.

We zaten een tijdje in de tuin en spraken over school en over haar paard. Een paar keer viel er een stilte. Ma kwam drinken brengen. Ze deed haar best zich normaal te gedragen, maar ik merkte dat ze heel enthousiast was. Mijn broer liep voorbij in zijn overall en reageerde heel verlegen toen Mirthe hem gedag zei. Best grappig, zo ken ik hem niet.

We liepen langs de stal naar de achterkant van de boerderij. Ondertussen begon ik te twijfelen of ik haar wel wilde zoenen. Ik liet haar de graskuil zien. In de schuur met het jongvee pakte ik toen toch maar haar hand vast en zoende haar. Het was heel kort, maar ze leek helemaal in haar nopjes. Ze bleef mijn hand vasthouden.

'Zie ik je snel?' vroeg ze toen we bij haar fiets stonden.

'Denk het wel.'

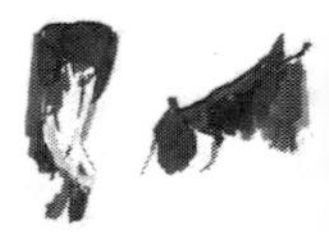

zo 27

Op weg naar De Groene Heuvels dacht ik dat ik Patrick op zijn motor voorbij zag komen. Het ging heel snel. Het was dezelfde kleur helm en ik meende zijn houding te herkennen. Ik wilde roepen maar hield me in. Hij zou het toch niet horen.

Mirthe was niet bij het water. Thijs vroeg of de boer nu verkering had.

'Dat weet de boer niet,' zei ik.

ma 28

'Je helpt mij zonder dat ik het vraag,' zei pa 's avonds in de melkstal.

'Ja.'

Ik dipte de spenen en liet de koeien uit de stal, terwijl pa me aan stond te kijken.

Niet veel later kwam mijn zus met de looptelefoon de stal in. Ze liep op haar tenen om geen vieze voeten te krijgen.

'Voor jou,' zei ze tegen mij.

Het was Henk Willems van de fanfare. Waarom ik niet op de repetitie was. Ik zei dat ik ermee wilde stoppen. We hadden een lang gesprek waarin hij me probeerde over te halen. Ik keek op mijn horloge en zag dat de repetitie al een tijdje bezig was. Henk belde me terwijl hij eigenlijk zou moeten blazen. De nood was hoog, blijkbaar. Ik zei uiteindelijk dat ik het nog wel even aan wilde zien. Hij vroeg of ik zo snel mogelijk naar het dorpshuis kwam, dan kon ik de tweede helft meepikken.

'Ah, de repetitie,' zei pa toen ik had opgehangen. 'De eerste weer, of niet?'

'Ik wil ermee stoppen.'

'Dat had je je dan eerder moeten bedenken. Kleed je maar snel om.'

Tien minuten later zat ik op de fiets met de hoorn koffer onder de snelbinder.

Ik ga ze halen

De was die buiten hangt bij de buren, de overbuurman die in zijn Landrover wegrijdt, zijn stal met hennen waar ik vele zaterdagen zwart heb gewerkt, het bordje 'zachte berm' dat er al eeuwen staat, het weiland met de pony die ik altijd even moet aaien, de moestuin, de hond van Hendriks die naar me toe komt en het hele stuk dat ik langs hun erf loop op een meter afstand naar me blaft tot ik voorbij ben en hij zich resoluut omdraait, het grindpad naar het huis met de twee oude zussen, het prikkeldraad, de basket boven de garagedeur van de familie Lamers waar ik altijd jaloers op was, het enorme voetbaldoel van de familie Lamers met het veel te kleine veldje waar ik ook jaloers op was, de boomgaard waar onze hond een keer in verdween en pas twee dagen later vermoeid en vermagerd uit terugkeerde, de sloot waar we in de winter op schaatsten met dode visjes in het ijs, het oude schuurtje met de kleine ramen waar we met katapulten op schoten, de geur van pannenkoeken, de kiezelsteentjes in de scherpe bocht, mijn broer die met de tractor altijd veel te hard door die bocht reed terwijl ik naast hem zat en ik me goed vasthield en hoopte dat we niet om zouden vallen, de champignonkwekerij waar ik soms anderhalve kilo moest halen, de tuin van Van Lieshout waarin onze koeien toen ze waren uitgebroken diepe gaten achterlieten met hun hoeven, de oude vieze badkuip naast het huis van Sengers, het kleine bos met de dunne bomen, de tweede ingang naar onze wei waar ik me een keer had verstopt toen ik was weggelopen en iedereen me zocht en mijn neefje op de dijk had gekotst, het bordje 'kersen te koop', de verrotte vlaggenmast voor het huis van Driessen, de andere kant van de boomgaard waar onze hond voor twee dagen in verdween, het blauwe bord met 'Beuningen' waar een flinke deuk in zit, de haaientanden aan het eind van de straat vanwege de T-splitsing met de grote weg, de grote weg waar onze kat werd doodgereden toen we verkleed waren als Zwarte Pieten en de weg overstaken en het zagen gebeuren, de grote weg waar ik tweehonderd meter met de tractor op heb gereden

terwijl ik geen rijbewijs had en niet wist hoe ik moest schakelen, de vluchtheuvel, de afslag die ik het vaakst heb genomen, de afdaling die voelt als thuiskomen, de brandnetels, de rotte lucht waarvan ik nooit heb geweten waar die vandaan komt, de reiger naast de sloot, onze oprit, de brievenbus met daarin alleen maar post voor mijn vader, de tuin met aan de rand de knotwilgen, de stal, mijn vader met de hogedrukspuit waar hij de dichte shovelbak mee schoonspuit, de achterdeur, de laarzen en de klompen bij de achterdeur, de mat, de wc, de jassen op de grond onder een veel te volle kapstok, het schilderij van Anton Pieck, de keuken, mijn moeder aan tafel met thee en de koekjes-trommel, mijn verhuisdozen in de hoek, mijn broer die uit de computerkamer komt en vraagt: 'Ben je nog niet weg?', mijn gehandicapte zus die uit de woonkamer komt en zegt: 'Ik ben blij als je weg bent', mijn vader die in zijn overall in de deuropening staat en vraagt: 'Ga jij de koeien omjagen? Het is de laatste keer dat je dat kunt doen', en ik die even aarzel, ze alle vier op mij zie wachten, mijn moeder, mijn broer, mijn zus, mijn vader, en dan zeg: 'Ja, da's goed, ik ga ze halen'.

Kippenschuur

TIJDENS DE SOEP vertelde mijn zus dat ze in de kippenschuur ging wonen.

'Ik moet jullie iets vertellen.'

Ze had haar lepel neergelegd. Aan haar kin hing nog een druppel.

Het was een zondagavond. We zaten aan de grote tafel in de woonkamer. Ik had die dag mijn spullen verhuisd naar mijn nieuwe kamer in het centrum van Nijmegen. Iedereen had meegeholpen, behalve mijn oudste zus, maar dat hoefde ook niet. Terwijl wij dozen en andere spullen sjouwden, speelde zij *Mens erger je niet* in de woonkamer. Door het raam zag ik haar zitten, in haar eentje aan de grote tafel. Ze dobbelde en verzette de pionnen. Alle kleuren deden mee. Ze was vier deelnemers tegelijkertijd.

Er werd gesproken over voetbal. Mijn broer en mijn

vader dachten dat PSV kampioen zou worden, mijn zus geloofde in Ajax. Ze noemden namen van spelers als argument. Mijn gehandicapte zus zat tussen mijn vader en moeder in. Ze keek van de een naar de ander, verwachtingsvol, maar mijn ouders hadden het niet in de gaten. Ik zat recht tegenover haar en zag dat ze het bijna leek op te geven. Ze duwde haar bril met de dikke glazen verder op haar neus. Ze zuchtte diep, gooide haar hoofd in haar nek. Toch hervond ze zich. Ze tikte mijn vader op de arm. Er speelde een glimlach om haar mond.

'Papa, ik wil iets vertellen.'

Hij keek heel kort opzij.

'Wat wil je vertellen?'

'Nou, dat ik –'

Maar mijn vader had zijn hoofd weer naar mijn broer gedraaid. Hij begon over de technische staf van Feyenoord.

Mijn zus richtte zich tot mijn moeder.

'Mam, mag ik wat zeggen?'

'Zo direct. Laat ze even uitpraten.'

Mijn zus boog haar hoofd. Ze pakte de lepel, hield hem dicht bij haar gezicht, bijna tegen haar bril, en likte hem toen af.

Er viel een stilte.

'Volgens mij wil Susan iets zeggen,' zei mijn moeder.

'Ja!' riep ze.

Ze legde de lepel op haar bord en keek geamuseerd de tafel rond.

'Ik ga jullie verlaten.'

'Verlaten?' vroeg ik.

'Ja, ik ga jullie verlaten. Ik ga in het nieuwe schuurtje wonen. Dat is papa voor mij aan het bouwen.'

'Het kippenschuurtje bedoel je?' vroeg mijn broer.

'Daar pas je inderdaad heel mooi in,' zei mijn andere zus, zo serieus mogelijk.

Mijn vader was naast de stal bezig aan een nieuw schuurtje voor zijn negen scharrelkippen. Het oude hok was klein en vervallen. Je moest diep bukken om de eieren uit het nest te halen. Het hout was deels verrot. Voor het eten had ik met mijn broer en mijn vader bij het nieuwe schuurtje gestaan. Vanwege de introductieweek had ik er niets van meegekregen. Er lag al een betonnen vloer en twee muren stonden overeind. Er kwam een spitstoelopend dak op, legde mijn vader uit, met golfplaten. Ik zou er met mijn 1 meter 85 net rechtop in kunnen staan. Mijn zus zou er met haar 1 meter 55 haar armen kunnen strekken zonder het dak te raken.

'Hoe zie je dat dan voor je?' vroeg mijn vader, terwijl

hij met zijn lepel in zijn bijna lege soepkom roerde.

Mijn zus wreef over haar kin.

'In de ene hoek een kast, in de andere het bed en middenin een tafel met stoelen.'

'Maar nu kun je nog tv kijken op je kamer,' zei mijn vader. 'Dat kan dan niet meer. Daar heb je geen schotel.'

Mijn zus keek mijn vader even verbaasd aan.

'Dan koop ik een schotel voor mezelf!'

Ze barstte uit in gelach, klapte in haar handen.

'Ik ben heel slim!' riep ze.

'Heel goed hoor, maar wat doe je dan met het eten?' vroeg mijn broer.

'Eten?'

Ze beet op haar lip.

'Een keuken in de schuur?' vroeg ze voorzichtig.

'Nee, dat is veel te klein,' zei mijn andere zus.

'Dan ga ik steeds bij papa en mama eten. Zie ik ze ook nog eens!'

Weer begon ze hard te lachen. We lachten met haar mee. Mijn moeder stond op om het hoofdgerecht te halen.

'In de winter zal het wel erg koud zijn in dat schuurtje,' zei ik.

'O, dan moet er een verwarming in komen.'

Ze draaide zich naar mijn vader.

'Kun jij die maken?'
'Ik weet het niet. We zullen zien.'
Mijn zus glimlachte en wreef in haar handen.

Na het eten gingen mijn vader en mijn broer melken. Mijn zussen en ik ruimden de tafel af en deden de afwas. Mijn moeder deed een dutje.

We hadden *Studio Sport* opgenomen. Toen mijn vader en mijn broer weer binnen waren, gingen we met z'n allen voor de tv zitten. Mijn zus nam plaats aan de grote tafel en begon aan een nieuw potje *Mens erger je niet*. Steeds telde ze hardop de stappen die een pion mocht zetten: een, twee, drie, vier. Mijn moeder schonk thee en koffie in en deelde appelflappen uit. We luisterden naar het voetbalcommentaar. Op de achtergrond hoorden we mijn zus tellen.

's Middags was ze niet met ons meegegaan naar Nijmegen. Mijn vader had, staand in de deuropening met de sleutel van de bestelbus in zijn hand, gevraagd of ze echt niet meewilde, want we zouden zeker een paar uur weg zijn. Maakt niet uit, had ze gezegd. Mijn moeder had gevraagd of er iets was. Nee, er was niets. Ze was van plan om op haar slaapkamer een film te kijken. *Kruimeltje*. Daar had ze zin in. Het 06-nummer van mijn broer werd

op een briefje geschreven en naast de telefoon gelegd. Als er iets was, kon ze bellen, of naar de overburen gaan.

Eenmaal terug bij mijn ouders was ik naar mijn oude kamer gegaan, want we moesten wachten op het eten. De kamer was leeg, op het zware, oude bureau van mijn opa na. Ik keek naar de kale muren en naar het raam waar ik zo vaak door naar buiten had gestaard en waar ik de tractors voorbij had zien komen. Toen kwam mijn zus de trap op. Langzame stappen, daar herkende ik haar aan. Mijn deur stond open. Op de overloop keek ze heel even mijn kant op. Het was alsof ik haar ergens op betrapte. Zonder iets te zeggen, liep ze de andere kant op, naar haar kamer.

Na *Studio Sport* ging mijn andere zus naar huis. Ze moest nog anderhalf uur rijden. Ze gaapte terwijl ze in haar handtas rommelde.

'Oei, je eerste nacht in de grote stad,' zei ze tegen mij. 'Wel zelf koken, hè?'

Niet veel later stond ook mijn broer op. Hij woonde met zijn vriendin in Ewijk, tien minuutjes met de auto.

'Ik kan je bij de bushalte afzetten,' zei hij tegen mij.

'Da's goed,' zei ik.

We zeiden mijn zus gedag. Ze was net begonnen *Mens erger je niet* op te ruimen.

'Ga jij ook al?' vroeg ze aan mijn broer.

Ze tuurde op haar veel te kleine horloge. Haar montuur tikte tegen het glas. Even keek ze beteuterd. Toen kwam ze van haar stoel af en knuffelde hem. Hij moest diep voorover buigen voor de knuffel.

'Ik ben ook weg, Susan,' zei ik.

Ze gaf me een hand, keek naar de grond, zei niets.

'De volgende keer help ik jou verhuizen, naar het schuurtje,' zei ik.

'Zeg dat nou niet,' fluisterde mijn moeder.

Mijn zus keek me stralend aan.

'Da's afgesproken! Ik kan wel wat hulp gebruiken!' Toen kreeg ik een knuffel.

De koe die de Waal over zwom

Een van onze koeien is de Waal over gezwommen. Van Ewijk naar Herveld. In een bijna rechte lijn. Ik wist dat het wel eens voorkwam, koeien die het water kiezen, maar niet bij ons. Mijn vader was erbij toen het gebeurde. Een jonge koe raakte in paniek, stapte het water in en begon als een gek te zwemmen, voor het eerst in haar leven. Mijn vader kon niet meer ingrijpen en moest toezien hoe het beest steeds verder van de kant raakte. Alleen de kop stak boven het water uit. In een gestaag tempo zwom ze naar de andere kant.

'Er kwam een schip aan,' vertelde mijn vader. 'Ik dacht dat het beest overvaren zou worden, maar blijkbaar ging ze er net langs op.'

Pas later bedacht ik me dat dat heel even akelig moest zijn geweest voor mijn vader. Het was niet aan hem te merken toen hij het vertelde.

Ik vroeg hoe het zat met de stroming. Zou zo'n beest daar tegenin kunnen zwemmen? Met die korte poten en dat grote lijf?

'Ik heb geen idee,' zei mijn vader. 'Ze zwom in een bijna rechte lijn.'

De koe stond weer op stal. Ik ging met mijn vader kijken of er nog iets aan te zien was. Misschien lag ze uitgeput of bibberend in een ligbox. Mijn vader wees haar aan. Ze stond gewoon met haar kop door het voerhek, te kauwen of herkauwen, met ogen die er niets meer vanaf leken te weten. Hij had net zo goed een andere aan kunnen wijzen.

Het loopt gesmeerd

IK KREEG EEN sms van mijn broer. Ik kon het nauwelijks geloven. Het was de eerste keer dat hij me een sms stuurde.

Kom je nog naar Beuningen met carnaval?

Ik reageerde niet meteen. Al snel kreeg ik weer een sms.

Kom je nog naar Beuningen met carnaval?

Zaterdag ging ik naar Weurt. Voor de 'Grootse Optocht', zoals het ieder jaar in koeienletters op posters vermeld staat. Ik weet niet zeker of het ironie is. Dit jaar hadden ze dertig deelnemers en daar waren de mensen in het dorp erg trots op.

Mijn broer liep mee in een berenpak en met een geschminkt gezicht. Om zijn nek hing een bordje met de tekst: 'Het loopt gesmeerd.'

Ik sprak hem pas vlak voor de prijsuitreiking in het dorpshuis. Echt enthousiast was hij niet toen hij me zag. Hij vroeg of ik die en die al had gezien en dat was zo'n beetje de hele conversatie.

Op de dansvloer kletste ik met een bekende die zijn zoontje op zijn arm hield. Het jochie, verkleed als clown, greep naar het duivelsoortje van een meisje dat naast ons stond.

'Met carnaval mag je overal aan zitten,' zei zijn vader lachend.

Een loopgroep waar ik wat mensen uit kende eindigde als zevende. Teleurgesteld bekeken ze het juryrapport. Tussen de achten en negens stond ineens een nul komma vijf. Na een tijdje kwam de secretaris naar ze toe.

'Een tikfout. Het gaat nooit onder de zes.'

Ze bleken gedeeld eerste te zijn geworden. Echt vrolijk werden ze er niet van. Het moment was weg.

Later zat ik aan tafel bij mijn ouders. Mijn tante was er ook. Het is altijd een beetje vervelend om met iemand te praten die nuchter is als je zelf aangeschoten bent. Toch bleek ik een behoorlijk gesprek te kunnen voeren. Dat gold niet voor mijn broer. De schmink was al half van zijn gezicht toen hij erbij kwam zitten. Hij zweeg vooral

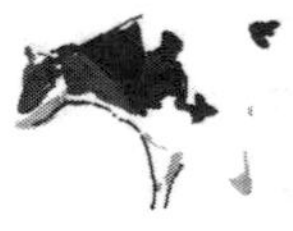

en als hij iets zei haperde hij al na twee woorden. En toen begon hij ineens zijn berenpak uit te trekken waar hij niets onder aan had.

Dat was dan Weurt. In Beuningen begon het pas een dag later.

Krib

'We gaan naar het mooiste plekje van Beuningen,' zei ik. 'Meer verklap ik niet.'

Ik haalde haar op bij haar studentenhuis in een ander deel van de stad. We fietsten naar het dorp en kwamen langs de boerderij. Het was gek om daar voorbij te rijden, alsof er iemand anders woonde. Pas toen de boerderij bijna uit zicht was, zei ik dat ik daar was opgegroeid.

In de uiterwaarden klommen we over een hek.

'Deze grond is van ons,' zei ik, al wist ik dat niet helemaal zeker. Ergens hadden we hier grond, maar dat kon ook verderop zijn.

Ze droeg hoge hakken. In de uiterwaarden had ze het moeilijk met de ongelijke grond, ook omdat het begon te schemeren, maar ze klaagde niet. Ook niet over de droge, harde koeienvlaaien die her en der in het gras lagen.

We kwamen bij de krib waar ik weleens met vrienden

had genachtvist. Ik vertelde haar over die nachten. Er was er maar een die echt viste. We dronken bier, maakten een kampvuur en zongen idiote liedjes, hard en vals. Soms liep iemand het water in, tot aan zijn middel, en keerde dan terug. Als de zon opkwam, gingen we naar huis.

Op de krib hield ik haar arm vast, omdat ze anders bij elke stap door de knieën zou gaan. Aan het einde gingen we zitten. Het water klotste tegen de stenen. Dit had ik veel eerder moeten doen, bedacht ik me, met de meisjes uit het dorp.

'Dat vreemde licht, wat is dat?'

Ze bedoelde het licht aan de overkant.

'Het komt van de kassen die achter de dijk liggen.'

Ze knikte en trok haar schoenen uit.

Ik wees naar een auto op de dijk, ver weg in het oosten. We zagen de koplampen dichterbij komen, twee lichtjes rustig zigzaggend langs de Waal, steeds groter, het hele stuk richting het westen, en toen zagen we de achterlampen, die al snel kleiner werden, tot er niets meer van de auto te zien was.

Ze hoestte en schoof wat mijn kant op. Ik merkte op dat de schepen richting Duitsland een groen licht hadden en de schepen naar Rotterdam een rood licht.

'Hoe dat precies zit, weet ik niet.'

Ik voelde haar been tegen mijn been. Toen ik me naar haar toe wilde draaien, hoorde ik achter me iemand roepen.

'Wat is dat?' vroeg ze.

'Ik weet het niet.'

De stemmen kwamen dichterbij. Ze leken ons niet in de gaten te hebben.

'Dit is het mooiste plekje van Beuningen,' hoorde ik er een zeggen.

Ik keek om. Het waren jongens met hengels en een krat bier. Zestien, zeventien jaar. Ze stonden op een paar meter afstand een beetje beduusd naar ons te kijken.

Ze legde een hand op mijn arm.

'Zeg dat deze grond van jou is,' fluisterde ze.

Haas

Midden in de wei ging mijn vader op een haas staan. Ik begreep niet meteen wat er gebeurde. Ik was een weekend thuis en hielp hem mee een draad te spannen. Ik hoorde een kort, vreemd geluid en zag dat mijn vader uit zijn evenwicht werd gehaald. De haspel wist hij in zijn hand te houden, maar hij moest wel een stap opzij zetten. Ik liet de stokken uit mijn handen vallen en kwam naar hem toe.

'Wat was dat?'

'Ik stond op een haas.'

'Een haas?'

'Die verschuilen zich soms in het gras.'

Hij knikte naar de rennende hond. Heel even zag ik vlak voor haar iets bruins bewegen.

'Zal ze 'm pakken?'

'Denk het niet. Hazen zijn sneller.'

'Ben je al vaker op een haas gaan staan?'

'Een paar keer. Dat heb je met hoog gras, dan ziet hij mij niet en ik hem niet.'

Ik zag dat de hond zich schrap zette om over de sloot te springen. Toen ze de overkant had bereikt, was de haas al weer aan deze kant van de sloot. Het beestje had een U-bocht gemaakt. Het duurde even voor de hond terug in onze wei was. De haas was naar het bos gerend, met een straatlengte voorsprong.

Ik dacht aan onze kelder. Iedere winter kregen we een haas van Meijer, een zestiger die zichtbaar trots was op zijn groene jachtkostuum. Mijn vader gaf hem toestemming om in onze wei te jagen. Als dank kregen we een haas. Die werd twee dagen in de kelder gelegd om te versterven. Ik was bang voor de dode haas in de kelder. De bruine vacht op de betonnen vloer, de ogen, het stroompje bloed. Als ik cola wilde pakken, vergat ik het weleens. Dan liep ik de trap af en keek halverwege recht in de ogen van de haas. Ik keerde om, dan maar geen cola. Mijn moeder maakte de haas klaar. Ik hoefde nooit.

'Omdat je 'm in de kelder gezien hebt?' vroeg mijn moeder dan.

'Ik vind het gewoon niet lekker.' Ze geloofde me niet.

'Je staat te dromen,' zei mijn vader. 'Kom, aan de slag.'

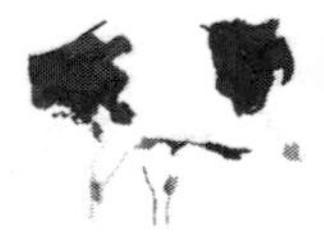

Hij begon weer met de haspel te lopen. Ik pakte de stokken op uit het gras en liep achter hem aan. Om de tien meter moest ik een stok in de grond steken en de draad door de isolator leiden. Ik deed het rustiger aan dan daarvoor. Ik tuurde naar de grond en zette steeds voorzichtig een stap vooruit.

'Pas op!' riep mijn vader ineens, tientallen meters van me vandaan. 'Een haas!'

Broer

MIJN BROER BELDE me wakker.

'Ik sta voor je deur.'

'En ik lig nog in bed.'

Eigenlijk was dit het tijdstip waarop ik het liefst had dat hij zou komen. Vanwege de parkeerplaatsen in mijn straat, die zijn later op de dag vrijwel continu bezet. Een paar dagen eerder sprak ik hem aan de telefoon en legde hem dit uit. Hij begreep me niet of wilde me niet begrijpen.

'In de stad moet je met zulke dingen rekening houden,' had ik gezegd.

'Het lukt niet om die tijd,' zei hij. 'Twee uur later kan wel.'

Maar het was dus wel gelukt. Ik schoof de gordijnen opzij en zag precies onder mijn raam zijn auto met aanhangwagen staan. Ik hield mijn hoofd dicht tegen het raam en keek recht op het hoofd van mijn broer. Hij begon kaal te worden.

Snel kleedde ik me aan.

In mijn agenda had ik een planning gemaakt. Deze dag had ik vrij gehouden om spullen naar het afvalverzamelpunt te brengen. Over een week zou ik de sleutel van mijn kamer in moeten leveren. In de dagen ertussen kon ik rustig alles wat overbleef inpakken en op de laatste dag zou ik verhuizen naar mijn appartement.

Mijn broer had zich, net als ik, niet gewassen. Ik zag het meteen. Hij deed dat wel vaker niet. Voor zijn werk was het zinloos, hij werd toch vies. Ik vroeg me af of de mensen die op straat liepen het aan ons konden zien.

'Toch nog eerder?' vroeg ik.

'Een geluk,' zei hij.

Hij wilde naar binnen gaan, de trap op. Ik vroeg of hij aan een parkeerkaart had gedacht.

'Komt wel goed.'

Hij tilde de kast waar de tv op had gestaan naar beneden. Ik nam een klein kastje dat ik voor mijn studieboeken had gebruikt. Vervolgens was de grote kledingkast aan de beurt. Ik tilde hem aan een kant op.

'Dat hoeft niet,' zei mijn broer grijnzend.

Ik begreep wat hij bedoelde. Met veel geweld trokken we de deuren eruit en vervolgens haalden we de bovenkant en de zijkanten eraf. Niet alles gaf gelijk mee. Mijn broer hield met zijn ene voet het hout tegen, met zijn andere schopte hij. Zijn kisten met stalen neus zorgden ervoor dat alles los kwam. Ik dacht aan mijn huisgenoten, waarvan de meesten vast nog sliepen. Mijn broer zei iets over splinters.

De kasten en het losse hout legden we op de aanhangwagen naast een rol vloerbedekking en een paar autobanden. Het was rommel waar mijn broer van af wilde. Hij wist dat het in de stad niets zou kosten.

Onderweg naar het afvalverzamelpunt zette hij de radio aan. Het ding stoorde een beetje, maar dat maakte hem niets uit. Het hoorde bij deze oude auto, het schakelen ging ook al niet soepel.

We keken naar een caravan die voor ons reed. Er stond een plaatje op in de vorm van Afrika. Ergens in het midden was een deel zwart gekleurd.

'Welk land is dat?' vroeg hij.

'Ik weet het niet precies. Ik denk Tanzania.'

Mijn broer knikte.

'Algerije heeft van Egypte gewonnen,' zei hij. 'Nu mogen ze naar het WK.'

Vlak voordat we door de tunnel onder het spoor reden, verloren we een autoband. We hadden het niet in de gaten. Er kwam een echtpaar naast ons rijden. De vrouw, die rechts zat, draaide het raampje naar beneden. Mijn broer deed hetzelfde.

'Je hebt een band verloren,' zei de vrouw.

We sloegen de eerste de beste zijweg in en ik stapte uit om terug te lopen. Ik vond het maar niks om ongewassen over straat te lopen. Ik was een heel eind toen ik in de middenberm een wieldop zag liggen. Ik stak over, pakte de dop en belde mijn broer.

'Het is alleen een wieldop.'

'Oké, ik kom eraan. Ben bijna aan de andere kant van de tunnel.'

'Mooi. Ik sta daar bij de bushalte.'

Aan de andere kant van de weg zag ik mijn broer voorbij rijden. Ik stak mijn hand op, maar hij keek recht voor zich uit. Eerst moest hij de auto keren. Dat was een heel gedoe. Toen hij eindelijk bij mij was en ik in kon instappen, stapte hij uit en liep weg.

'Ik heb de band zien liggen,' zei hij.

Het duurde even voor hij terugkeerde met de band. Ik was bang dat de bus eraan zou komen en dat de chauffeur zou gaan toeteren omdat er een auto voor zijn bushalte stond. Maar mijn broer deed het rustig aan. Ik ging in de auto zitten en keek een paar keer in de achteruitkijkspiegel. Mijn broer haalde een extra spanband uit de kofferbak om de band en de rest nog eens extra goed te bevestigen.

In de spiegel zag ik een bus opdoemen. Ik opende het portier en riep mijn broer.

'Daar komt een bus aan!' en ik wees langs hem heen.

Mijn broer keek niet. Hij ging verder met vastbinden en toen dat klaar was liep hij naar de auto. De bus was afgeslagen.

Bij het verzamelpunt had mijn broer weinig uitleg nodig. Hij begon meteen met uitladen. Ik probeerde hem bij te benen, maar hij nam het merendeel van de spullen voor zijn rekening. In de planning zou ik hier de hele dag mee bezig zijn geweest, maar het ging allemaal veel sneller.

Toen we alles in de containers hadden gegooid, bracht hij me terug naar huis. Ik wees hem de kortste weg, maar hij zei dat het via de Waalkade sneller zou gaan.

'Maar kun je daar wel doorheen?' vroeg ik.

'Ja.'

Halverwege de Waalkade werd de straat eenrichtingsverkeer en moest hij omdraaien.

We zwegen.

'Wil je nog een kop thee?' vroeg ik toen we mijn straat in reden. Ik had niet veel smaken meer in huis, maar de supermarkt zat op de hoek.

'Prima.'

We keken rond voor een parkeerplek, maar alles bleek bezet. Ik zag ook niemand wegrijden.

Ter hoogte van mijn kamer stonden we stil op de weg. Mijn broer griste zijn mobiel uit zijn broekzak en keek naar de tijd.

'Laat ik toch maar gaan.'

Ik bedankte mijn broer en stapte uit. De man in de auto achter hem begon al te toeteren. Mijn broer stak een hand naar me op en reed snel weg.

Op mijn kamer was het een stuk leger. Ik klapte in mijn handen en luisterde naar de galm. In mijn agenda kraste ik de dag door. Ik kroop terug in bed en dacht aan mijn broer die nu naar zijn werk ging, die pas getrouwd was, die volgend jaar vader werd en die de boerderij van mijn ouders zou overnemen.

Hijskraan

VAN VERRE ZAG ik de hijskraan al. Hij stak hoog boven onze boerderij uit. Ik was met de fiets op weg naar Beuningen en wilde in het bakje. Dat moest geweldig zijn, in zo'n kleine glazen ruimte en dan dat uitzicht over de streek. Maar het kon niet, zo bleek toen ik bij mijn ouders was aangekomen. De avond viel, de mensen van de bouw waren al naar huis en het bakje hing helemaal bovenin.

Mijn vader legde uit dat ze met die kraan een kuub cement kunnen verplaatsen. Het cement zit in een gesloten trechter. De kraan tilt die trechter op, draait zijn arm en op de plek waar de nieuwe stal komt, wordt de trechter geopend.

Ik durfde niet te vragen hoeveel een kuub was. Veel, vermoedde ik. Daar kon je vast een aardige cementvloer mee maken.

Mijn broer vertelde dat straks, als het geraamte van de stal overeind staat, er dakplaten van zes meter op komen. Die worden met vrachtwagens van twaalf meter lang vervoerd.

Dat zijn de verhoudingen.

Ik heb een appartementje in de stad, een gammele fiets, een oude laptop, een driezitsbank en een dooie plant.

De jaren

Het moment dat mijn vader een letter op het toetsenbord zoekt, zijn boerenwijsvinger zwevend in de lucht, als een vogel boven het land, 'b, waar is toch de b' mompelend, en ik hem film, grinnikend, met een camera die trouwens ook behoorlijk achterhaald is.

De robots

1.

Mijn vader loopt met een scheerapparaat door de oude melkstal. Tussen de vaste werkzaamheden door scheert hij hier en daar een uier. Hij doet het voor de robots. Over precies vier uur steken de koeien over naar de nieuwe schuur.

De machine ploegt met veel kabaal voort alsof het einde nog lang niet in zicht is, maar dit is toch echt de allerlaatste melkronde. Eenendertig jaar heeft mijn vader iedere ochtend en avond hier tussen de koeien gestaan. Duizenden keren heeft hij een melkstel onder gehangen.

Mijn vader belt me nooit, maar drie maanden geleden kreeg ik een telefoontje met de vraag of ik deze week vrij wilde houden.

We zijn met z'n tienen als de koeien de oversteek maken. Achter de draden die we gespannen hebben, staan buren, vrienden en familie klaar met gespreide armen. Ook een medewerker van de robotfabrikant doet mee. Het duurt drie kwartier voor de laatste koe zijn eerste, wankele stappen op de nieuwe betonnen vloer zet. Van buitenaf kijken we toe hoe de beesten overal aan snuffelen en af en toe van iets schrikken. Mijn moeder schenkt koffie in plastic bekertjes.

'Zonde van de stal,' zegt de buurjongen.

'Hoe bedoel je?' vraagt mijn broer.

De buurjongen wijst naar de vloer die al helemaal onder de stront zit.

Vijftien kilometer verderop, zo horen we later, steekt mijn gehandicapte zus een vinger in de lucht tijdens de wekelijkse gymles. Ze steekt hem zo hoog mogelijk, want ze wil heel graag iets zeggen.

De gymjuf knikt naar haar.

'Onze koeien staan in de nieuwe stal,' klinkt het trots.

Dan begint ze te zingen.

'Kom mee naar buiten allemaal, dan zoeken wij de Wielewaal.'

Ze klapt in haar handen en iedereen op de gymles doet mee.

2.

Vanaf hier nemen de twee robots het over. Gedeeltelijk dan. Met z'n zessen moeten we de koeien een voor een naar de robots begeleiden. De robots staan in huisjes in het midden van de hoge schuur. De koe moet naast het huisje gaan staan. Een hek draait achter haar dicht en aan de voorkant komt een bak met brokken tevoorschijn. De koe heeft een enkelbandje. Daarmee worden niet alleen haar stappen geteld, het is ook een herkenningsmiddel voor de robot. Verder hangt er een camera boven de koe die beelden maakt waardoor de robot een idee van het postuur van de koe krijgt.

De robotarm komt in beweging. Met infrarood worden de spenen gezocht. De robot is hier vaak lang mee bezig, zeker als de spenen dicht bij elkaar hangen. Steeds opnieuw probeert hij de spenen te vinden, met een oneindig geduld. Als het eindelijk lukt, hangt hij de zuignappen aan de spenen en begint het melken.

Het gaat moeizaam. De koeien staan nog niet in de rij voor de robot. Sommige doen er alles aan om uit de buurt van de robotarm te blijven. Vooral de oudere koeien. Vaak schiet een jonge koe voor als we een oudere naast het huisje proberen te krijgen.

3.
Mijn moeder ligt ziek op bed, zo wordt mij verteld. Ze heeft overgegeven.

'Iets verkeerds gegeten,' zegt mijn vader.

'Stress,' zegt mijn tante.

4.
's Avonds is er een storing. Een van de camera's werkt niet meer. De medewerker van de robotfabrikant belt een monteur. Op de voergang wordt koffie gedronken. Dan klinkt er ineens een schreeuw uit het huisje van Robot Twee.

'Is daar nog iemand?' vraagt mijn vader.

'Nee,' zegt de medewerker van de robotfabrikant, 'dat is het geluid van het moederschip.'

Er wordt gelachen.

De eerste nacht nadert. Er moeten mensen opblijven om de koeien naar de robots te begeleiden.

'Het werkt het beste als je vreemden de nachtdienst laat draaien,' zegt de medewerker van de robotfabrikant tegen mijn broer. 'Hij bijvoorbeeld,' en wijst mij aan.

Maar mijn broer heeft al twee jongens uit de buurt gevraagd.

Voordat de medewerker ons alleen laat met de robots neemt hij het calamiteitenplan met ons door. We krijgen allemaal een geplastificeerde kaart waarop staat hoe we de boel moeten resetten. We voeren de stappen een voor een uit. Knopje indrukken bij de ene robot, knopje indrukken bij de andere, knopje indrukken bij het tanklokaal. Dan weer naar de ene robot, de andere en opnieuw het tanklokaal.

De medewerker trekt zijn overall uit.

'Nu moeten jullie het zelf kunnen.'

Mijn broer knikt weifelend en kijkt naar de geplastificeerde kaart.

Ik slaap op mijn oude kamer. Het huis staat naast de oude melkstal. Vroeger werd ik altijd wakker met een stampende machine, slechts een paar meter verwijderd van mijn bed. Nu hoor ik vogels. De nieuwe schuur staat aan de andere kant van de oude stal. Bovendien maken de robots veel minder lawaai dan de melkmachine.

5.

's Morgens weet een koe te ontsnappen uit de nieuwe schuur. Ze staat bij de open schuifdeuren van de oude stal en kijkt naar binnen. Ze doet een stap vooruit, maar een hek houdt haar tegen. Wel kan ze met haar kop bij de waterbak. Ze drinkt gulzig als we haar komen halen.

Ik haal koffie in de keuken. Mijn moeder is weer uit bed geklommen. Ze heeft thee gedronken. Brood of beschuit durft ze nog niet aan. Ze ziet er bleek uit.

6.

Het is tijd voor de volgende stap in het proces. De koeien moeten inmiddels gewend zijn aan het nieuwe melken. De bedoeling is dat ze vanaf nu uit zichzelf naar de robot lopen.

'We blijven een uur weg uit de schuur,' legt mijn broer uit. 'Tijd voor ander werk. Straks blijven we twee uur weg en zo steeds langer.'

Als we na een uur terugkeren, liggen de meeste koeien in de ligboxen te herkauwen. In de buurt van de robots is het rustig. Mijn broer kijkt op het computerscherm van Robot Een. Hij drukt een paar toetsen in. De laatste koe is twintig minuten geleden gemolken. Mijn broer krabt op zijn hoofd.

'We moeten er een paar gaan halen,' zegt hij.

Laat op de avond ben ik klaar. Dezelfde jongens als gisteren draaien weer nachtdienst. Op een muurtje zet ik een fles cola klaar en leg er een paar chocoladerepen naast.

7.
De volgende dag is het rustig. Er zijn nog maar een paar koeien die de weg naar de robots niet weten te vinden.

'Je mag wel naar huis gaan,' zegt mijn vader halverwege de ochtend.

'Ja, bedankt dat je er was,' zegt mijn broer, vanachter de computer.

Ze zien er vermoeid uit en hebben nog veel te regelen.

Ik pak mijn tas in. Voor ik vertrek, werp ik een blik in de oude melkstal. Het is er stil en verlaten. Een vlieg cirkelt boven een glazen bol waar tot voor kort melk in stroomde. De stal zal een keer gestript worden, maar dat heeft nu geen prioriteit.

8.
Ik ben terug in de stad. Na een paar dagen bel ik mijn ouders. Ik heb een tijdstip gekozen waarop ze niet meer in de melkstal zullen zijn. Maar dan denk ik: de robots. Het had ook eerder gekund, het kan nu altijd.

Mijn moeder neemt op. Ik vraag hoe het met haar gaat.

'Goed hoor, ik ben er helemaal bovenop. En de robots doen het aardig. Soms is er nog wel een storing. Wanneer kom je weer eens langs?'

Center Parcs

'Ben je lekker aan het rondkijken?' vraagt mijn vader in het zwembad, waar we aan een plastic tafel zitten terwijl de bikini's voorbij trippelen.

Dreumel

EEN DAG NADAT ik mijn verjaardag met vrienden heb gevierd, komen mijn ouders op bezoek. In de woonkamer van mijn nieuwe appartement eten we appeltaart. Ik heb speciaal oploscappuccino voor ze in huis gehaald. Mijn moeder overhandigt me hun cadeau, een elektrische tandenborstel, en ik scheur twee zakjes cappuccino open voor hun tweede kopje.

Als het gesprek stilvalt, laat ik ze de boeken zien die ik heb gekregen. Het is een behoorlijke stapel. Mijn ouders zijn onder de indruk.

'Daar moet je wel tijd voor hebben, om dat allemaal te lezen,' zegt mijn vader.

'Maar hier zit je rustig,' zegt mijn moeder, om zich heen kijkend.

'Misschien moet jij ook eens wat proberen,' zegt ze tegen mijn vader.

Ik haal een dun boekje uit de stapel. Mijn vader gaat

wat dieper in zijn stoel zitten.

'Dit is misschien wel iets,' zeg ik. 'Korte verhalen. Echt heel erg goed. En eentje ervan gaat over Dreumel.'

'Dreumel?' zegt mijn moeder en ze pakt het boekje meteen van me over. Ze bladert het door en geeft het aan mijn vader. Hij bekijkt het omslag.

'Die naam ken ik. Hij komt uit Groesbeek, of niet?'

'Weet ik niet. Hij woont in elk geval in Nijmegen.'

Mijn vader gaat op zoek naar het verhaal over Dreumel. Hij leest de eerste regels, bekijkt dan weer het omslag.

'Ik weet het niet,' zegt hij.

Hij legt het boek terug op de stapel.

We spreken over andere dingen. Na een tijdje is het weer stil. Mijn moeder kijkt naar buiten.

'Het is echt heel stil hier,' zegt ze. 'Zo'n verschil met de boerderij.'

Mijn vader knikt. Hij pakt een boek uit de stapel en bekijkt het omslag.

'Hugo Claus,' zegt hij en legt het weer terug.

Het einde van het bezoek komt in zicht. Ze drinken hun kopje leeg en trekken hun jas aan. Ik loop met ze mee naar de voordeur.

'En wat ga je de rest van de middag doen?' vraagt mijn moeder als we buiten staan. 'Lezen?'

100.000 liter

EERDER OP DE dag.

Mijn vader zit aan de keukentafel een puzzel op te lossen. Mijn moeder leest de krant. Zwijgend drinken ze koffie. Af en toe kijkt mijn vader uit het raam. Hij is jarig, 62 is-ie geworden. Hij heeft wat vrienden en familie een mailtje gestuurd. Dat ze welkom zijn, 's middags of 's avonds, dat mogen ze zelf bepalen. Het is middag. Er is niemand. Hij kijkt in zijn koffiekop en ziet dat die bijna leeg is. Hij neemt een laatste slok.

'Ik ga maar weer naar achter,' zegt hij tegen mijn moeder.

Bij de achterdeur trekt hij zijn laarzen aan en loopt naar de nieuwe stal.

Net na het eten.

Mijn broer haalt twee stapels stoelen uit de schuur en

maakt ze buiten schoon met een natte doek. Dan vraagt hij aan mijn vader of hij de deur open wil houden.

'Maar al die stoelen, da's toch niet nodig?' vraagt mijn vader.

De dag daarvoor.

Mijn broer belt me. Ik heb hem meer dan een maand niet gesproken.

'Jij komt morgen ook, toch?'

'Ja, natuurlijk.'

'Mooi.'

'Is dat waar je voor belt?'

'Ja.'

Mijn broer heeft ook een mailtje naar vrienden en familie gestuurd. Alleen dan naar iets meer vrienden en iets meer familie. Dat ze 's avonds zijn uitgenodigd en dat er dan een koe wordt gehuldigd die 100.000 liter melk heeft gegeven.

'Hoe heet de koe?' vraag ik aan mijn broer.

'Fronza 5.'

Hij heeft haar gegevens bij de hand. Fronza 5 is veertien jaar en vier maanden oud, vertelt hij. Ze heeft twaalf keer gekalfd. In de stal lopen drie dochters, vijf kleindochters, vier achterkleindochters en een

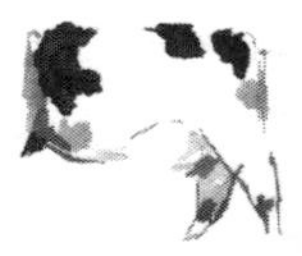

achterachterkleindochter rond. Haar achterachterkleindochter is in januari geboren, net als haar laatste dochter. Ze heeft inmiddels 100.500 liter melk gegeven.

Mijn broer is lang aan het woord. Heel lang, voor zijn doen.

De avond.

Het eerste wat ik doe als ik op de boerderij ben aangekomen, is een kijkje nemen in de nieuwe stal. Mijn broer heeft Fronza 5 apart gezet.

'Kijk,' zegt hij, 'ze heeft een beetje een kale rug. Dat komt omdat ze van de borstel houdt. Ze staat er de hele tijd onder.'

Hij klimt uit het hok.

'Het is wel een moeilijk beest. Ze heeft er niet echt zin in.'

Ik knik.

'Kan ik iets doen?' vraag ik.

'Ja, je kunt de lauwerkrans gaan halen. Die ligt in mama's auto.'

Iets later.

Aan de tafel in de woonkamer zit mijn vader met de buren te praten. Dan begint mijn gehandicapte zus ineens uit volle borst *Lang zal hij leven* te zingen, de rest valt in. Mijn moeder komt met de slagroomtaart binnen. Er staat een afbeelding van Fronza 5 op.

'Verrassing,' zegt ze.

'Had je het verwacht?' vraagt een tante aan mijn vader.

'Nee, totaal niet. Ik begon pas iets te vermoeden toen Peer met al die stoelen aan kwam zetten.'

'Maar wist je het dan nog niet, van die 100.000 liter?'

'Jawel, maar niet dat ze vandaag al gehuldigd zou worden.'

Als mijn vader de taart aansnijdt, is mijn broer nergens te bekennen. Ik loop door het huis. Mijn broer staat in de hal. Hij heeft zijn jas aan.

'Waar ga jij naartoe?' vraag ik.

'De kalfjes melk geven.'

Ik keer terug naar de woonkamer. Mijn moeder houdt een bordje vast. Mijn vader legt er een stuk taart op.

'Komt dat nou vaak voor, zo'n koe?' vraagt de buurman.

'Zo af en toe, geloof ik,' zegt mijn vader. 'Maar wij zijn de eerste in Beuningen.'

Nog iets later.

Een man van een boerenorganisatie heeft een lintje,

een plakkaat, een oorkonde en een bos bloemen bij zich. Hij legt de spullen in een hoek van het hok waar Fronza 5 staat. Dan loopt hij naar het midden van het hok, op ruime afstand van Fronza. Iedereen staat om het hok heen. De man verheft zijn stem.

'Ik hoorde dat het een moeilijke koe was. Dat heb je vaak bij oude koeien. Die zijn temperamentvol, die wíllen leven. We gaan haar daarom eerst huldigen met een krans en een lintje. Daarna kan er geklapt worden en dan richt ik me tot meneer Claassen.'

Via een touw dat al om de hals van Fronza zit, gaat de lauwerkrans om. De koe zet zich schrap, maar maakt geen rare bewegingen. Dan volgt het lintje. Ook dat gaat zonder problemen. Er wordt geapplaudisseerd. Het lawaai zorgt ervoor dat de overige koeien – die in een ander deel van de stal staan – schrikken en massaal in beweging komen, wat nog meer lawaai oplevert. Als de rust is wedergekeerd krijgt mijn vader de oorkonde, mijn broer het plakkaat en mijn moeder de bos bloemen. Ik maak foto's.

Even later keert iedereen terug naar het huis van mijn ouders. Ik haal twee kratten bier uit de kelder, mijn moeder doet borrelnootjes in schaaltjes. Terwijl ik flesjes bier uitdeel, staat mijn gehandicapte zus in de menigte haar tanden te poetsen.

Na middernacht.

Mijn vader heeft zijn ogen nog maar half open. Hij staat bij mijn neef die electricien is en een verhaal vertelt over een klant, ook een boer.

'Mooi bedrijf hoor, daar niet van,' zegt mijn neef.

Mijn broer komt met nieuw bier uit de kelder. Hij loopt moeizaam. Elke stap is een toevalstreffer.

'Jij ook een?' vraagt hij aan mij.

'Nee. Ik ga naar huis.'

'Je kunt ook hier blijven slapen,' zegt mijn moeder, terwijl ze de afwasmachine inruimt.

'Nee.'

Mijn moeder omhelst me, mijn vader geeft me een hand.

Ik loop nog even naar de nieuwe stal. De lauwerkrans staat schuin tegen de muur bij de ingang. Fronza 5 ligt in de hoek van het hok en tilt haar kop op. Voor haar op de grond ligt het vuil geworden lint. Het is in twee stukken gescheurd.

Moe

'Je bent altijd moe als je hier bent,' zegt mijn moeder.

'Maar dit keer heb ik geen hoofdpijn.'

Het is zondag en ik sta voor het raam. Het gras ziet er slecht uit. Mijn vader zegt dat dat door het weer komt.

'Het hoeft maar even warmer te worden, meer zon, een regenbui, en het ziet er heel anders uit.'

Ze zitten op de bank met koffie voor zich. Voor mij staat een kop thee klaar.

'Zullen we die oude filmpjes weer eens bekijken?' vraagt mijn vader.

'Alsjeblieft nee,' zeg ik.

Mijn vader zit al op zijn hurken voor de tv. In zijn handen de dvd waar mijn zus ooit oude familiefilmpjes op heeft gezet. Hij bekijkt de dvd-speler.

'Willem, hoe werkt dit?'

'Ik moet naar de wc,' zeg ik.

Ik blijf lang op de pot zitten. Aan de muur hangt een A4'tje met daarop een gedicht over een koe die moet baren en die moe is. Het kalf overleeft het niet, de koe evenmin. Ik heb het gedicht zelf opgehangen, meer dan een jaar geleden. Ik vraag me af of mijn ouders het ooit hebben gelezen.

Er wordt op de deur geklopt.

'Gaat het?' vraagt mijn moeder.

Ik spoel door en open de deur.

Mijn vader zit nog steeds voor de tv. Hij heeft de afstandsbediening erbij gepakt. Hij drukt op verschillende knoppen, maar er gebeurt niets.

'Willem,' zegt hij.

'We kunnen ook een eindje gaan wandelen,' zegt mijn moeder.

'Met dit weer?' zeg ik.

Even overweeg ik om naar huis te gaan, maar ik ben met de fiets. De vermoeidheid en de kou houden me tegen. Bovendien zal mijn moeder me niet zo snel al weer laten gaan.

Ik neem plaats op de bank, sluit voor even mijn ogen. Langzaam adem ik uit.

'En, is er nog iets gebeurd op de boerderij?' vraag ik.

Mijn vader denkt na terwijl hij naar de tv staart die nog altijd uitstaat.

'Niet echt. Ja, er is een kalf geboren, vrijdag. Een maaltje.'

'Help hem maar even,' zegt mijn moeder tegen mij. 'Ik wil die filmpjes ook wel weer eens zien.'

Burgemeester

ZOUDEN ER BURGEMEESTERS van mijn leeftijd zijn, vraag ik me af als ik over het Julianaplein loop. Het regent. Iedereen heeft haast. Ik zie de moeder van een meisje waarmee ik op de basisschool zat. Ik was verliefd op dat meisje en stuurde haar liefdesbrieven. De moeder kijkt me heel even aan, maar herkent me niet.

De burgemeester stopt ermee. In de krant stond een interview met een foto. Het is de man die ik vroeger brieven stuurde. Ik correspondeerde met elfjarige meisjes en met de burgemeester.

In de winkelpassage is het druk. Mensen schuilen. Ik blijf in de regen staan en even lijkt het alsof ik me heel bewust tegenover de menigte onder de overkapping opstel. Ik ben de burgemeester, ik spreek jullie toe. Maar ze zijn niet met mij bezig. Ze merken me nauwlijks op.

Ik loop naar het kerkhof waar mijn opa en oma liggen, een paar straten verder. Het graf ligt er goed bij. De bloemen zijn vers, die heeft mijn moeder er waarschijnlijk neergelegd. Aan de hand van de jaartallen reken ik uit hoe oud mijn opa en oma ook alweer zijn geworden. De burgemeester heeft ze vast en zeker gekend. De krant meldde dat hij de langstzittende burgemeester van het land was.

Het begint harder te regenen. Hoewel ik al doorweekt ben, schuil ik in het bushokje voor het kerkhof. Ik lees de teksten die aan de binnenkant van het hokje zijn gekalkt. Dan stopt er een bus. De chauffeur wenkt me, maar ik gebaar dat hij me moet laten staan.

Hamer

De koplampen van de tractor schijnen op mijn vader. Hij staat gebogen op de drie meter hoge graskuil en slaat met een grote hamer op de kuil. Het is donker, koud, mistig. Wolkjes komen uit zijn mond terwijl hij met de hamer zwaait.

Een mooi beeld, en dat weet mijn vader ook, dat kan haast niet anders. Ik heb hem gebeld om te vragen naar anekdotes over de boerderij in de winter. Het is voor een kerstverhaal. En dan zegt hij dat: met een grote hamer op de kuil slaan. Ik zie het helemaal voor me. Als een journalist krabbel ik het meteen op papier. Hij legt uit hoe het zit, ook al weet ik dat al. Het zand dat ter bescherming op de graskuil ligt, moet er afgeschept worden, elke dag een stukje. Dan kan het zeil weggeschoven worden en komt het gras open te liggen zodat de kuilsnijder erbij kan. Maar in de winter, als het hard vriest, raakt het zand van de kuil bevroren. Het worden bonken zand, die in

stukken moeten worden gehakt om ze van de kuil te kunnen scheppen.

Hij weet nog wel meer beproevingen in de winter op de boerderij. Waterleidingen die bevroren zijn en zo snel mogelijk ontdooid moeten worden bijvoorbeeld.

'Dan moet je rennen met emmers kokend water, van de ene naar de andere stal. En oppassen dat je niet uitglijdt.'

Hij praat maar door, wordt steeds enthousiaster, en ik blijf schrijven ook al weet ik dat ik er niks mee ga doen.

'Heb je hier iets aan?' vraagt hij.

'Ik denk het wel.'

'Komt het in het verhaal?'

Ik denk aan mijn vader met een grote hamer op de kuil. De mist, de wolkjes.

'Misschien.'

'Goed zo. Kijk maar even.'

Ik zie hem voor me aan de andere kant van de lijn, achterover leunend in zijn stoel. Dat waren heel veel goede anekdotes, zal hij denken. Het hoeft alleen nog maar opgeschreven te worden.

Als ik heb opgehangen, denk ik na over wat het verhaal kan zijn, het verhaal achter mijn vader met de hamer. Maar er komt niets. Daar was ik al een beetje bang voor.

Uiteindelijk schrijf ik iets heel anders. Het wordt een kerstverhaal zonder graskuil, zelfs zonder boerderij, maar wel met een vader.

Verantwoording

Enkele verhalen uit deze bundel werden eerder gepubliceerd op de online tijdschriften *hard//hoofd* (in de serie 'Encyclopedie van het boerenleven') en *De Optimist*. Ook verschenen eerdere versies van sommige verhalen in *De Gelderlander*, *Passionate Magazine* en *De Uitvreters*.

Mijn dank gaat uit naar de belangrijkste personages uit deze bundel (een goed geslacht!), naar Joost Dekkers voor zijn geweldige tekeningen en naar Kim van Kaam, Yvette Linders en Sanne de Meijer voor hun terechte kanttekeningen.
Speciale dank aan Dennis Gaens, voor wat hij in gang zet en in gang houdt. Een melkrobot is er niets bij.

Colofon

Tekst Willem Claassen
Illustraties en omslag Joost Dekkers
Redactie Dennis Gaens en Kim van Kaam
Ontwerp Jos Lenkens
Druk Gianotten Tilburg
Uitgave Literair Productiehuis Wintertuin

NUR 303
ISBN 978-90-79571-26-0